L'Empire de l'or rouge

JEAN-BAPTISTE MALET

L'Empire de l'or rouge

Enquête mondiale sur la tomate d'industrie

DOCUMENT

Infographie : © Agnès Stienne, *Le Monde diplomatique.*

L'industrie rouge ne connaît aucune frontière. Sur toute la surface du globe terrestre, des barils de concentré de tomates circulent par conteneurs. Cette enquête retrace l'histoire méconnue d'une marchandise universelle.

Le monde est notre champ.

Henry John HEINZ
(1844-1919)

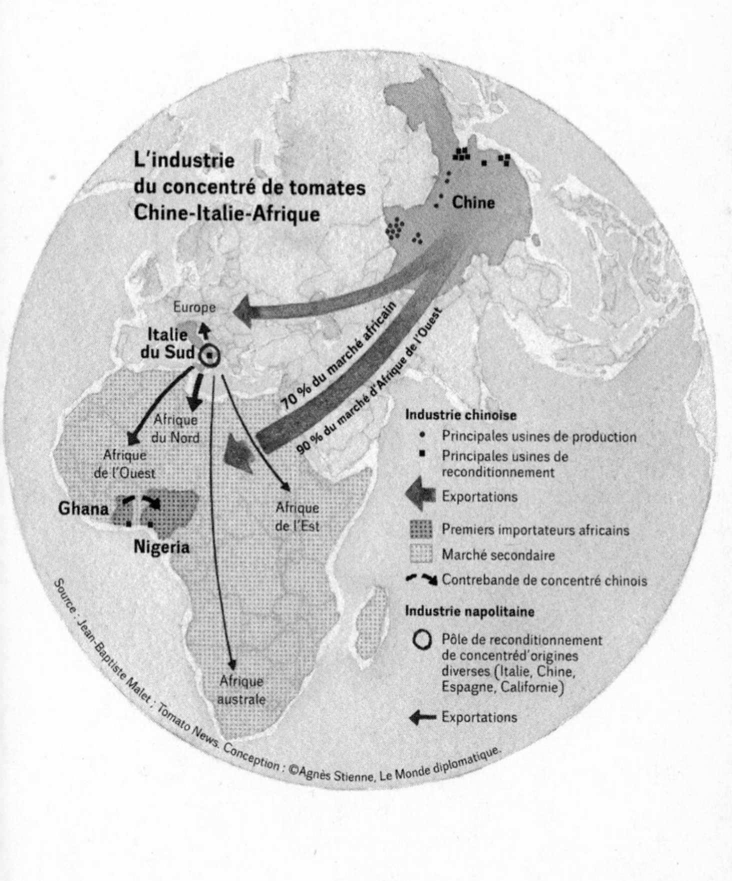
L'industrie
du concentré de tomates
Chine-Italie-Afrique
Chine
Europe
Italie
du Sud
70 % du marché africain
90 % du marché d'Afrique de l'Ouest
Afrique
du Nord
Afrique
de l'Ouest
Ghana
Nigeria
Afrique
de l'Est
Afrique
australe
Industrie chinoise
Principales usines de production
Principales usines de reconditionnement
Exportations
Premiers importateurs africains
Marché secondaire
Contrebande de concentré chinois
Industrie napolitaine
Pôle de reconditionnement de concentréd'origines diverses (Italie, Chine, Espagne, Californie)
Exportations
Source : Jean-Baptiste Malet ; Tomato News. Conception : ©Agnès Stienne, Le Monde diplomatique.

Chapitre premier

I

Environs de Wusu, Xinjiang, Chine

L'autocar transporte des travailleurs en provenance de la banlieue de Wusu, dans le nord du Xinjiang, une ville à mi-chemin entre la capitale régionale, Ürümqi, et le Kazakhstan. Le véhicule avale des kilomètres de routes bien asphaltées, traverse des paysages urbains désolés, puis des espaces de terres agricoles où se multiplient les courbes, les rouleaux de poussière, avant d'emprunter un ultime tronçon terreux. Il se gare le long d'une haie de maïs derrière laquelle s'étend un champ de tomates de 35 *Mu*, environ 2,3 hectares. La parcelle est faite d'une seule bande de terre, aussi longue que trois terrains de football mis bout à bout, en bordure de laquelle stationnent déjà plusieurs minibus.

Tout le monde descend de l'autocar précipitamment. Des femmes courent, tirent d'une main leur enfant essoufflé. Dans l'autre, elles tiennent leur hachoir de travail au manche gravé, décoré de fleurs. Tous se hâtent afin de pouvoir s'emparer au plus vite de paquets de grands sacs de toile plastifiée et les disséminer dans le champ. Lorsque tous les sacs ont été pris, un tracteur et sa remorque réapprovisionnent les arrivants. Ces sacs disparaissent à leur tour. « Il n'y a pas de temps à perdre », lance un cueilleur haletant. Aujourd'hui, chaque sac de 25 kg sera payé 2,2 yuans – l'équivalent d'environ 30 centimes d'euro, soit un peu plus d'un centime le kilo de tomates ramassé.

Les cueilleurs échangent quelques mots, jamais en mandarin, toujours dans leur dialecte, pour mieux organiser le début de la récolte, se répartir les rangs, choisir une bonne position de départ.

Une jeune fille, quatorze ans à peine, ploie sous une charge peut-être aussi lourde que son maigre corps : elle porte péniblement sur son dos frêle un paquet de sacs. Elle laisse tomber au sol son ballot, en tranche le cordage et se met au travail. D'autres enfants et adolescents sont venus travailler dans le champ. La plupart des ouvriers agricoles sont originaires du Sichuan, une province pauvre du centre-ouest de la Chine située à plus de trois mille kilomètres ; les autres sont ouïgours. Les cent cinquante cueilleurs forment des petits groupes épars de dix à vingt personnes, séparés entre eux par une distance régulière. Beaucoup de femmes et d'hommes accomplissent leur travail seuls. Quand ils travaillent à deux, une division des tâches s'est instaurée.

Accroupis, les uns lèvent leur hachoir au-dessus de leur tête, puis, d'un coup sec, procèdent à une coupe nette afin de sectionner le pied de tomates. Les autres se penchent pour ramasser la plante feuillue chargée de fruits mûrs et la secouer vigoureusement. Les tomates se détachent, tombent au sol avec un petit bruit sourd. Peu à peu, des lignes rouges et vertes se dessinent et strient le champ. D'un côté, des amoncellements de déchets verts, hauts jusqu'au genou. De l'autre, de longs traits rouges.

Des dizaines de travailleurs battent littéralement la terre au hachoir, s'y reprenant à plusieurs fois lorsqu'un pied de tomates est particulièrement robuste ; ceux qui les suivent rassemblent les fruits épars, accroupis ou à genoux, avec le plat du large couteau, ou à mains nues. Il s'agit maintenant de remplir les grands sacs. Le champ luxuriant se transforme au fil des heures en une terre nue.

Certaines femmes, pour se protéger du soleil, portent une casquette enveloppée d'un tissu épais. Rares sont ceux qui parlent. On n'entend que les coups répétés des hachoirs, le bruissement de la toile des sacs qui se remplissent et sont déplacés. Soudain un chant mélancolique et puissant s'élève dans le lointain. Quelques-uns s'autorisent un bref regard dans la direction d'où semble monter la voix anonyme. On n'aperçoit que des silhouettes au travail, penchées vers le sol.

Une femme porte un nourrisson dans son dos. Elle s'éreinte dans l'extrême chaleur humide. Des enfants en bas âge, trop jeunes pour travailler, jouent sur la parcelle avec des bouts de bois ou des cailloux. Ils tapotent le sol avec un hachoir oublié pour imiter leurs parents ou portent à leur bouche des tomates non rincées, pleines de traces blanches : des résidus de pesticides. Le soleil est si brûlant que certains d'entre eux déambulent sans tricot. Beaucoup se grattent. Leurs visages et leurs mains présentent des traces d'irritation ou de maladies de peau. Ils n'en sont pas à leur première journée de la saison passée au champ.

L'homme qui travaille en chantant d'une belle voix mélancolique est originaire du Sichuan. Lamo Jise, trente-deux ans, est de l'ethnie Yi, tout comme son épouse. « Aujourd'hui nous devrions récolter environ cent soixante sacs de tomates à nous deux, ma femme et moi [soit environ quatre tonnes]. Ensemble, on devrait gagner aux alentours de 350 yuans. » C'est-à-dire l'équivalent de vingt-quatre euros par personne pour une journée éprouvante de labeur, sous un soleil de plomb, qui ne s'achèvera qu'à la nuit tombée. « Je chante pour me donner du courage », me dit-il.

Portant une casquette rouge, Li Songmin se tient à un coin du champ, il surveille la récolte. Le producteur sait que ses tomates seront livrées par camion dès ce soir à une usine de l'entreprise Cofco Tunhe. Ensuite, il ignore tout de la destination de sa matière première, une fois qu'elle aura été transformée. Li Songmin est le locataire de la parcelle. Il ne connaît personnellement aucun des cueilleurs qui récoltent ses tomates. Ni les migrants du Sichuan, majoritaires ce jour-là, ni les Ouïgours : tous ont été recrutés par un « prestataire de service en main-d'œuvre ». Le producteur de tomates n'a de contact qu'avec l'entreprise Cofco Tunhe. Elle lui fournit et impose les variétés de tomates d'industrie à forte productivité qu'il doit cultiver selon un cahier des charges précis. Elle lui garantit l'achat de sa récolte à un prix négocié. Elle se charge de lui trouver des cueilleurs en temps voulu. Elle gère l'acheminement des tomates jusqu'à l'usine.

Cofco Tunhe est la première compagnie de transformation de tomates d'industrie en Chine. C'est aussi le numéro deux mondial du secteur. Cofco, acronyme de China National Cereals, Oils and Foodstuffs Corporation, est classée par le magazine *Fortune* au palmarès « Global 500 », classement des multinationales les plus puissantes de la planète selon leur chiffre d'affaires. Ce gigantesque conglomérat chinois rassemble sous son nom un très grand nombre d'entités qui ont été créées du temps de Mao Zedong, quand Cofco était la seule entreprise d'État chinoise habilitée à importer et exporter des denrées agricoles. Tunhe est une filiale de Cofco spécialisée dans le sucre et la tomate d'industrie. L'entreprise détient quinze usines transformant la tomate ; quatre se trouvent en Mongolie intérieure et onze au Xinjiang – sept usines au nord de la région autonome, quatre au sud.

Cofco Tunhe fournit en concentré de tomates les plus grandes multinationales de l'agro-alimentaire, telles Kraft Heinz, Unilever, Nestlé, Campbell

Soup, Kagome, Del Monte, PepsiCo ou encore le groupe américain McCormick, numéro un mondial des épices et propriétaire en Europe des marques Ducros et Vahiné. Chaque année, Cofco Tunhe produit aussi 700 000 tonnes de sucre, achetées en partie par Coca-Cola, Kraft Heinz, Mars Food, Mitsubishi, ainsi que par le géant chinois du lait Mengniu Dairy, dont Cofco et Danone sont les principaux actionnaires. Cofco Tunhe est encore l'un des plus importants producteurs de purée d'abricot au monde.

Le mastodonte chinois transforme annuellement 1,8 million de tonnes de tomates fraîches afin de produire 250 000 tonnes de concentré de tomates, soit un tiers de la production chinoise. Obtenu à partir des tomates cueillies dans des milliers de champs au Xinjiang, comme celui-ci près de Wusu, le concentré de tomates Cofco est une véritable matière première, exportée dans plus de quatre-vingts pays.

Des enfants travaillent dans les champs afin de participer à la récolte de ces tomates destinées à des entreprises multinationales étrangères. Lorsqu'ils ont moins de dix ans, ils font la récolte au côté de leurs parents. À partir de treize ou quatorze ans, ils sont autonomes et travaillent seuls. « Pour nous, de l'ethnie Han, ce n'est pas bien, ce n'est pas éthique de voir des enfants travailler comme ça, dans les champs. Mais que voulez-vous... Ces pauvres gens du Sichuan n'ont pas le choix. Il n'y a personne pour garder leurs enfants, alors ils viennent avec eux travailler », commente Li Songmin, le producteur dont les tomates ne seront pas consommées en Chine, mais sur le marché international, une fois achetées sous forme de concentré par l'un des acteurs de l'agrobusiness. C'est avec ces tomates que l'on produit des pizzas et des sauces en Europe.

II

Changji, Xinjiang, Chine

De hautes cheminées se découpent sur un ciel gris dans une odeur douceâtre de tomate cuite. De longs convois de camions poussifs, aux bennes pleines de tomates chauffées par le soleil, passent le portail qui marque l'entrée de l'usine de transformation. Sitôt entré, j'aperçois le chassé-croisé de transpalettes déplaçant des barils bleus. À plus de deux cents kilomètres du champ où a eu lieu la récolte, à la sortie d'Ürümqi, se trouve l'usine de Changji. Elle est la plus importante du groupe Cofco. Si l'usine de Cofco à Wusu est terne, vieille et chaotique, celle de Changji est resplendissante. Ses équipements sont comme neufs et ses abords fleuris, un jardinier ouïgour veille à leur soin. C'est ici que le service de communication de Cofco Tunhe m'a donné rendez-vous.

Observer la noria des camions de tomates allant et venant dans l'enceinte de l'usine de transformation est pour moi l'aboutissement d'une longue quête : je viens de pénétrer au cœur d'une « usine du monde », l'une de celles qui sont habituellement soigneusement dérobées au regard des curieux. Ici, on ne produit pas d'appareils électroniques haut de gamme, comme chez Foxconn à Shenzen ; pas de dernier modèle d'Apple en phase de fabrication avant un lancement mondial. Ce n'est pas une usine de robots du dernier cri. Ce n'est pas non plus l'une de ces usines d'objets ou de meubles siglés du nom de grandes marques occidentales. Non, c'est une usine de l'agro-industrie chinoise, un secteur qui n'a pas beaucoup attiré l'attention des enquêteurs et des analystes économiques. C'est pourtant une filière stratégique, pensée comme telle dès le début des années 1980 par les dirigeants chinois, dont l'étonnante percée économique est restée plutôt discrète.

Nation la plus peuplée au monde, la Chine doit nourrir plus de 20 % de la population mondiale avec seulement 9 % des terres arables de la planète. Son secteur agricole mobilise un tiers de sa population active et compte pour 10 % de son PIB. Bien que l'autosuffisance alimentaire en ce qui concerne les produits de base soit de longue date un objectif majeur des gouvernants chinois, la balance agro-alimentaire du pays était encore déficitaire de près de 32 milliards d'euros en 2014, un déficit creusé par l'importation de soja et l'augmentation de la consommation de viande d'une population toujours plus urbaine.

Mais c'est à tort que l'agriculture chinoise est parfois présentée comme le secteur « en panne » de son économie[1]. La Chine est le premier producteur mondial de blé, de riz, de pomme de terre ; le deuxième pour le maïs et la tomate d'industrie. Sa production de céréales a bondi de 40 % au cours des quinze dernières années. Et qui sait, pour ne citer que quelques exemples, que la Chine est le premier pays exportateur de jus de pomme concentré, d'herbes aromatiques, de champignons secs ou de miel ? Son secteur agroalimentaire est passé en trente ans d'un modèle traditionnel, articulant fermes et marchés locaux, à un système industriel d'agriculture intensive structuré autour de géants. De la même manière que la Chine exporte des produits électroniques, l'empire du Milieu exporte désormais des produits alimentaires à bas coût qui sont consommés sur tous les continents.

« Notre usine a la capacité de produire 5 200 tonnes de concentré de tomates par jour », déclare Wang Bo, quinze années d'expérience dans la filière tomate. Il est l'assistant du directeur général du site. « De manufacture italienne, l'usine a été construite en 1995, puis elle a été agrandie en 1999. Ici, tout commence par l'arrivage de la matière première, qui s'accompagne d'un processus de nettoyage des tomates. »

Postés sur des passerelles métalliques au-dessus du quai de déchargement où sont venus se garer les camions, des ouvriers au visage luisant de

---

1. Centre d'études et de prospective, *L'Essor de la Chine dans le commerce international agricole et ses impacts sur le système agro-alimentaire français*, 2012.

sueur se tiennent debout, à la hauteur des cabines, face au chargement. Ils tiennent fermement les manivelles qui dirigent des lances à eau. À l'intérieur des bennes, la masse des fruits rouges, chahutée par la trombe d'eau, se creuse au passage du puissant jet. Les tomates cascadent et se déversent par la trappe de la benne dans une conduite. Les ouvriers ne cessent de plier et de déplier les bras afin de pousser le flot de tomates vers la conduite. L'amas se réduit peu à peu. Les fruits s'écoulent dans la « rivière » qui permet à la fois d'effectuer le rinçage de la matière première et de l'acheminer à l'intérieur de l'usine.

III

« Ici, nous ne produisons que des barils de concentré de tomates. Dans l'usine, les tomates sont transformées à l'aide de grosses machines, poursuit Wang Bo. La peau et les graines vont être enlevées, les tomates chauffées, broyées. Nous enlevons l'eau qu'elles contiennent par évaporation industrielle. Après extraction de l'eau, nous conditionnons le concentré dans un contenant stérilisé pour faciliter son transport sur de longues distances. C'est ce qui nous permet d'exporter notre concentré vers l'Europe, l'Amérique, l'Afrique, l'Asie. » En fin de ligne de production, un ouvrier dispose sur des palettes les barils métalliques bleus par quatre : ils sont alors acheminés jusqu'à la station de remplissage par un convoyeur. Un ouvrier les réceptionne, les contrôle avant de procéder à leur remplissage. Il installe dans chacun une poche aseptique, il fixe sur son goulot de plastique l'embout du robot remplisseur. Puis il presse une commande et scrute un écran. La machine vient d'Italie. La poche de 220 litres se remplit en quelques dizaines de secondes de triple concentré de tomates. Elle gonfle et épouse la forme du réceptacle métallique. Lorsque la première poche est pleine, l'ouvrier décroche le goulot fixé au robot remplisseur. Aussitôt, l'équipement assure automatiquement la rotation de la palette afin de présenter au travailleur un autre fût vide. L'ouvrier répète l'opération jusqu'à ce que les quatre barils de la palette soient pleins. Et l'opération peut se répéter avec la palette suivante. « Dix minutes suffisent pour apprendre les gestes. Ici, à ce poste, on fait les mêmes gestes toute la journée, ou toute la nuit, tout le temps », explique l'opérateur. Lorsque les quatre barils sont pleins, la palette parcourt sur un convoyeur les dernières dizaines de mètres avant de sortir de l'usine. À l'extérieur, en fin de chaîne, un transpalette l'attend, qui prélève le lot de quatre barils et l'emporte en zone de conditionnement. D'autres ouvriers scellent les fûts avec des couvercles métalliques. Ils apposent les étiquettes autocollantes indiquant la qualité du produit, sa concentration en tomate, sa date de production, ainsi que son origine : « *Made in China* ».

Une tomate d'industrie contient 5 à 6 % de matière sèche pour 94 à 95 % d'eau. Les « doubles concentrés » de tomates sont des pâtes dont le ratio matière sèche/eau est supérieur à 28 %. Les « triples concentrés » affichent un ratio supérieur à 36 %. Il faut donc en moyenne six kilogrammes de tomates pour obtenir un kilo de double concentré dans une usine moderne, optimisée – davantage lorsque ce n'est pas le cas. Et entre sept et huit kilos pour obtenir un kilo de triple concentré. Les grands groupes transformateurs de tomates proposent de nombreuses familles de produits, du simple jus, issu d'un pressage et stérilisé – sans concentration –, aux pâtes de tomates faiblement concentrées, jusqu'aux produits hautement concentrés. La Chine s'est spécialisée dans les produits hautement concentrés, car plus la pâte affiche une haute teneur en matière sèche, moins elle contient d'eau, plus le coût de transport sera faible en proportion de la matière sèche transportée.

Tout le monde connaît l'existence dans les industries automobile, aéronautique, informatique ou électronique des « fabricants d'équipement d'origine », les FEO (de l'anglais *Original Equipment Manufacturers*, « OEM »). On les nomme communément les « équipementiers », producteurs délocalisés dont les noms sont bien souvent inconnus des consommateurs, qui fournissent les pièces détachées à l'assembleur d'un produit. Connectés au marché global, ils jouent un rôle clé dans la production des biens de consommation qui nous entourent. Parce qu'ils produisent à très grande échelle, ils sont extrêmement compétitifs. Le secteur alimentaire ne fait pas exception, qui compte lui aussi ses équipementiers. Ceux-ci répondent à la demande en matières premières des multinationales, ils s'appuient pour cela sur une « agriculture de firme[1] ». Ils produisent tous les produits de base qui entrent dans la composition des aliments standardisés qui sont massivement consommés. Qu'un composé alimentaire tel que le ketchup Heinz soit « assemblé » en Chine, en Europe ou en Amérique du Nord importe peu. Ce qui change, ce sont les « équipementiers », californiens, italiens ou chinois, qui ont su s'imposer auprès des grandes multinationales de l'agroalimentaire. Parmi eux, on compte les trois premiers producteurs de concentré de tomates : ils dominent le marché. Ce qui fait des États-Unis, de la Chine et de l'Italie les leaders du marché, devant les puissances de second rang que sont l'Espagne et la Turquie.

Cofco Tunhe, équipementier dont le siège social est installé au Xinjiang, est ce que l'on appelle dans la filière un « premier transformateur ». L'entreprise fournit en barils de concentré de tomates les grands noms de l'industrie alimentaire mondiale : ces multinationales assemblent dans leurs usines de « deuxième transformation » les matières premières qui entrent dans les recettes de leurs produits. Elles utilisent et retransforment à des milliers de kilomètres des champs chinois l'ingrédient de base qu'est le concentré de tomates

1. « Les agricultures de firme », *Études rurales*, n° 191, volumes I et II, Éditions de l'EHESS, 2013.

pour fabriquer des sauces, des pizzas, des plats ou des soupes.

À quelques centaines de mètres des évaporateurs de l'usine Cofco de Changji, des ouvriers transportent des barils bleus de concentré industriel encore chaud dans la zone de stockage. Sur l'aire d'entrepôt, les fûts aseptiques forment de hautes murailles métalliques. D'autres travailleurs prélèvent dans le stock les barils qui doivent être exportés : ils chargent des remorques. Acheminé par poids lourds jusqu'aux trains de marchandises stationnés en gare dans les environs, le concentré de Cofco s'apprête à parcourir des milliers de kilomètres à travers la Chine, jusqu'au port de Tianjin – destination la plus fréquente –, grande ville au nord de Pékin, ultime étape avant le long voyage vers les trois continents.

IV

« Nous travaillons pour de très nombreuses compagnies agro-alimentaires. Heinz est l'un de nos plus importants clients. Nous avons avec eux un partenariat étroit depuis près de dix ans, car ce sont les plus gros acheteurs de tomates d'industrie au monde », précise Yu Tianchi durant l'entretien qu'il m'accorde au sein de l'usine de Changji.

M. Yu est le plus haut dirigeant de Cofco Tunhe en charge du secteur de la tomate d'industrie, ce qui fait de lui l'un des hommes les plus puissants de la filière mondiale. « La transformation de la tomate est une activité à faible marge, c'est pourquoi Heinz achète notre concentré, explique-t-il. De cette manière, Heinz resserre son activité sur les transformations et productions où les marges sont les plus importantes. Heinz nous aide énormément, que ce soit au niveau des variétés de tomates que nous développons ensemble afin d'optimiser nos productions, ou en ce qui concerne la formation de nos producteurs. »

Depuis la fin du XIXe siècle, Heinz est le plus gros acheteur de tomates au monde, ainsi que le premier producteur mondial de ketchup. En 1916, la multinationale était déjà dotée d'un centre d'études agronomiques et de jardins expérimentaux dédiés à la tomate. C'était peu avant que la Heinz Company ne construise des usines conçues exclusivement pour la transformation des tomates destinées à la production de soupes, de ketchup et de sauces à base de tomates. En 1936, plusieurs grands programmes de recherche, toujours dédiés à la tomate, furent lancés par l'entreprise : l'enjeu était de spécialiser des variétés afin d'optimiser la transformation industrielle du fruit rouge. Des recherches sont aujourd'hui encore menées par les chercheurs de Heinz. Heinz Seeds est le numéro un mondial de la semence de tomates d'industrie, devant les géants du secteur, HM Clause, du groupe Limagrain, quatrième semencier mondial, ou Bayer Crop Sciences, filiale du groupe chimique et pharmaceutique Bayer, numéro un mondial de la semence qui a racheté Monsanto en novembre 2016 pour 66 milliards de dollars.

Non-OGM, de variétés « hybrides », les tomates « Heinz » entrent dans la composition d'un très grand nombre de produits alimentaires qui sont consommés quotidiennement sur la planète. Des produits qui ne sont pas de marque Heinz. Les variétés de tomates d'industrie Heinz sont cultivées par toute la filière mondiale, sur tous les continents.

Chapitre 2

I

Camaret-sur-Aigues, Vaucluse, France

Voilà plus de cinq ans, en 2011, en France, j'apercevais pour la toute première fois des barils de concentré de tomates chinois derrière la clôture d'une conserverie provençale. L'usine était annoncée par une enseigne rouge : « Le Cabanon ». À sa droite, un bâtiment administratif défraîchi. À sa gauche, derrière une clôture, une zone de stockage bitumée : elle était entièrement recouverte de fûts aseptiques métalliques, de la taille de barils de pétrole. Entreposés à l'air libre sur des palettes, empilés les uns sur les autres, les cylindres brillaient au soleil. J'avais réussi à trouver le meilleur point pour m'approcher de cette marchandise. Des étiquettes, lisibles à travers le grillage, déclinaient leur origine : « *Tomato paste*. Xinjiang Chalkis. *Made in China* ». J'étais en Provence, ma région natale, celle où ma grand-mère confectionnait chaque été ses conserves de tomates à partir de sa production potagère, et je voyais pour la première fois de gros barils énigmatiques contenant de la tomate venue de l'autre bout du monde.

Lors d'un reportage dans une commune voisine, j'avais entendu parler d'une histoire rocambolesque. Chalkis, groupe agro-alimentaire détenu par un gigantesque conglomérat aux mains de l'armée de la République populaire de Chine, avait racheté en 2004 la principale usine de sauce tomate française : Le Cabanon. Jusqu'à cette date, l'entreprise avait été organisée en coopérative, transformant les récoltes d'une centaine de producteurs locaux. Depuis le rachat, la direction de Chalkis refusait de communiquer et cultivait le secret autour de ses activités.

En 2004, les Chinois s'étaient engagés à maintenir un volume de transformation pour les tomates produites localement. Dans la région, on avait bien subodoré que l'usine, une fois passée sous pavillon rouge, utiliserait pour une large part des concentrés à bas coût importés de Chine. Il n'avait cependant jamais été question que Le Cabanon ne produise qu'à partir du seul concentré du Xinjiang…

Curieux, je m'étais rendu à l'entrée de l'ancienne coopérative. Je souhaitais faire un reportage sur les nouveaux modes de production de la conserverie, dont l'approvisionnement ne se faisait plus en tomates cultivées en Provence, mais exclusivement en concentré de tomates importé de Chine. Sur place, on avait refusé de me recevoir et de me parler.

L'affaire était d'importance. Jusqu'au début des années 2000, Le Cabanon avait été en mesure de produire à lui seul un quart de la consommation de sauce tomate des Français. Une fois racheté par les Chinois, l'ex-fleuron hexagonal avait été lentement mais sûrement dépecé, l'outil industriel, pratiquement détruit. Chalkis avait d'abord licencié des salariés, puis avait procédé à la suppression de l'outil de « première transformation ». De l'ancienne usine ne furent conservées que la marque « Le Cabanon » et l'activité de « deuxième transformation », c'est-à-dire les machines permettant de diluer le concentré. Avaient été revendues « à la découpe », lors de ventes aux enchères[1], toutes les machines de l'usine servant à la « première transformation » des tomates : stations de réception des camions où débute le lavage ; turbo-extracteurs ; machines de broyage à chaud ; évaporateurs permettant de concentrer les tomates ; convoyeurs ; stations de conditionnement ; palettiseurs...

Les producteurs locaux durent se reconvertir. Le Cabanon n'en poursuivit pas moins la commercialisation de ses produits bien connus des consommateurs, mais en produisant à partir du seul concentré importé du Xinjiang. Les boîtes de conserve, avec leur sauce « produite » dans l'usine historique du Vaucluse, pouvaient continuer légalement de passer pour « *Made in France* » avec le

1. « Invitation à la vente aux enchères. Roux Troostwik. Société de ventes volontaire de meubles aux enchères publiques », brochure descriptive de la vente aux enchères. Collection de l'auteur.

célèbre logo du Cabanon : un mas provençal bordé d'un cyprès. La matière avait pourtant changé d'origine, mais aucune législation ne rend obligatoire cette indication. Le Cabanon vendait alors ses nombreuses « sauces tomate provençales » sous sa marque et sous marques de distributeur, à destination des hypermarchés européens.

Comment et pourquoi Chalkis, émanation de l'armée chinoise, en était-il venu à s'intéresser, au début des années 2000, à une usine de sauce tomate française pour en prendre le contrôle ? Pourquoi, comme s'en souviennent encore des acteurs de la filière française, plusieurs généraux chinois s'étaient-ils rendus à Avignon en uniforme de parade pour parler tomate ? Quels étaient les tenants et les aboutissants de cette « sino-militarisation » d'une conserverie provençale ? Et qui était le général Liu, manifestement hiérarque du régime, venu diriger les négociations ? Je ne disposais que d'une coupure de presse[1] publiée dans un étrange silence, mais je brûlais d'envie d'en savoir plus.

II

Au fil des années, j'ai découvert que les mésaventures industrielles arrivées au Cabanon n'étaient pas une exception, mais plutôt une règle. Celle-ci s'est généralisée, en Amérique du Nord,

1. Pierre Haski, « Les Chinois croquent la tomate transformée française », *Libération*, 12 avril 2004.

en Europe, puis dans plusieurs pays d'Afrique de l'Ouest. Depuis vingt ans, des usines transformant des tomates locales pour des marchés nationaux ferment du jour au lendemain parce qu'elles ne sont « pas assez compétitives ». Entendez par là : incapables de rivaliser, au sein de l'économie globalisée, avec les barils de concentré d'importation venus de l'autre bout du monde, à un prix très faible. De nos jours, produire des sauces ou des produits alimentaires à partir de barils de concentré importés est une pratique extrêmement courante de l'agrobusiness mondialisé.

L'exemple des Pays-Bas est à ce titre emblématique. Avec des importations massives s'élevant à près de 120 000 tonnes de concentré de tomates étranger chaque année, les Pays-Bas exportent annuellement plus de 190 000 tonnes de sauces, principalement du ketchup. C'est aux Pays-Bas que l'on produit aujourd'hui la plus fameuse des sauces brunes à base de tomates consommée au Royaume-Uni, la « HP Sauce », inventée en 1895. D'abord rachetée par Danone en 1988 pour 199 millions de livres sterling, la marque a été revendue à Heinz en 2005 et la transaction approuvée par les autorités britanniques en avril 2006. Le mois suivant, Heinz décidait que les bouteilles de sauce « HP » ne seraient plus produites en Angleterre, à Aston, dans le comté des Midlands de l'Ouest, en banlieue de Birmingham – ville incontournable des origines de l'industrialisation de l'Angleterre, surnommée au XIXe siècle l'« atelier du monde ». Elles seraient désormais produites sur le site d'Elst, dans la province de Gueldre, aux Pays-Bas :

Heinz y dispose de l'une des plus grandes usines de sauces au monde. Une campagne de boycott fut lancée au Royaume-Uni. Cette délocalisation éminemment symbolique – HP étant l'acronyme de « Houses of Parliament » – donna lieu à un débat national, notamment entre parlementaires à Westminster. En vain. Heinz resta intraitable. Les étiquettes de la célèbre sauce brune sont inchangées – l'on peut toujours y voir Big Ben –, mais l'usine anglaise a fermé au printemps 2007 et elle a été détruite durant l'été suivant. L'enseigne « HP » de l'usine historique fait désormais office de relique conservée au musée de Birmingham.

Dans son usine néerlandaise d'Elst, la Heinz Company produit à partir de barils de concentré de tomates importés des sauces destinées à l'Europe occidentale, notamment son célèbre « *tomato ketchup* ». La production de la Heinz Company nécessite chaque année 450 000 tonnes de concentré de tomates, soit l'équivalent de 2 millions de tonnes récoltées[1]. La filière mondiale ayant transformé 38 millions de tonnes de tomates en 2016, Heinz engloutit annuellement, à elle seule, plus de 5 % de la production mondiale de tomates d'industrie.

C'est en grande partie grâce à son ketchup que la multinationale Heinz est devenue un empire global. Produit « iconique » du *way of life* américain, au même titre que la soupe Campbell, le ketchup inspire depuis des décennies les artistes, les publicitaires, ainsi que les journalistes. Mais que sait-on au juste de ces produits à base de

1. *Tomato News*, avril 2015.

tomate ? Quelle est leur histoire ? Et que nous racontent-ils du capitalisme ?

Kraft Foods et la Heinz Company ont fusionné le 2 juillet 2015. Les deux entreprises forment aujourd'hui la Kraft Heinz Company, un mastodonte qui rassemble sous son égide treize marques et fait de la nouvelle multinationale, avec plus de 28 milliards de chiffre d'affaires annuel, la cinquième plus grande compagnie au monde de l'industrie agro-alimentaire, dans un secteur qui pèse environ 4 000 milliards de dollars – chiffre d'affaires annuel selon le Département de l'Agriculture des États-Unis. Ses actionnaires majoritaires sont les fonds d'investissement 3G Capital et Berkshire Hathaway, la holding du milliardaire états-unien Warren Buffett, deuxième fortune mondiale. La Heinz Company avait d'abord été rachetée pour 28 milliards de dollars en février 2013 par 3G Capital et Berkshire Hathaway. En 2012, la société avait réalisé un chiffre d'affaires de 11 milliards de dollars ; cette année-là, sa part de marché mondial du ketchup était de 59 %. Ce rachat fut à cette époque un événement sans précédent, car il s'agissait alors de la plus importante opération d'acquisition de l'histoire de l'industrie agro-alimentaire. Mais, avec la fusion de 2015, la Kraft Heinz Company allait battre un nouveau record : Berkshire Hathaway investit 10 milliards de dollars supplémentaires afin de procéder à la fusion. Aujourd'hui, Kraft Heinz et ses concurrentes, les quinze plus grandes multinationales de l'agrobusiness, réalisent plus de 30 % des ventes des supermarchés de la planète.

III

Rayon « conserves ». Allée « riz et pâtes ». Dans les supermarchés, celle ou celui qui se penche devant les rayons pour choisir une boîte de concentré, une bouteille de ketchup, une conserve de tomates concassées ou un pot de verre contenant une sauce déjà cuisinée à base de tomates, croit généralement que l'ingrédient principal de ces marchandises est une tomate guère différente de celle que l'on trouve au rayon primeurs, ou au marché. Certains se doutent bien qu'il s'agit d'une tomate de production intensive, mais tout le monde ou presque la croit ronde, ayant poussé sur un plant tuteuré. Après tout, une tomate n'est-elle pas une tomate ? Certes, chacun sait qu'il en existe de multiples variétés, des bonnes et de très mauvaises. Il y a, m'a-t-on souvent répété, « celles du jardin qui poussent dans les potagers ou les champs, et les autres, dans les serres, hors sol, sur substrat ».

À force de questionner au hasard des consommateurs dans les supermarchés et des pizzaïolos devant leur four, je me suis rendu compte que la plupart d'entre eux ignorent tout de la tomate transformée, comme moi avant d'entreprendre cette enquête. C'est logique : les belles tomates rondes et uniformément rouges sont celles qui apparaissent dans les publicités et sur les emballages des produits. Douze milliards d'emballages sont utilisés annuellement par l'industrie agroalimentaire pour conditionner des produits contenant de la tomate transformée[1].

L'imaginaire de la tomate est puissant, et les industriels s'appliquent à le perpétuer. Qui a déjà vu une tomate d'industrie ? Elle est à la tomate fraîche ce qu'une pomme est à une poire. C'est un autre fruit, une autre géopolitique, un autre *business*. La tomate d'industrie est un fruit artificiellement créé par des généticiens, dont les caractéristiques ont été pensées pour être parfaitement adaptées à sa transformation industrielle. Elle est une marchandise universelle qui, une fois transformée et conditionnée en baril, peut parcourir en distance plusieurs fois le tour de la Terre avant d'être consommée. Ses circuits économiques sont tentaculaires. Partout, sur tous les continents, on la distribue, la commercialise, la consomme. Cette tomate d'industrie n'est pas ronde : elle est oblongue. Elle est aussi plus lourde, plus dense qu'une tomate fraîche, car elle contient beaucoup moins d'eau. La peau d'une tomate d'industrie est très épaisse, elle résiste et croustille sous la dent quand on essaie de la mâcher fraîche. Le fruit est si dur qu'il peut supporter de longs voyages en camion, puis son maniement par les machines. La tomate d'industrie ne se gâte pas si facilement. Des agronomes l'appellent, pour plaisanter, la « tomate de combat » : elle est tellement ferme qu'elle n'éclatera jamais, même si elle est placée

1. Source : *Tomato News*.

tout au fond de la benne, sous la masse de plusieurs centaines de kilos récoltés : elle est « étudiée pour ». Il vaut d'ailleurs mieux éviter de jeter des tomates d'industrie à la figure d'un artiste ou d'un dirigeant politique, car ce serait le lapider – ce qu'il ne mérite peut-être pas.

Si les tomates des supermarchés sont gorgées d'eau – une eau qui fait leur poids –, les tomates d'industrie en contiennent le moins possible. Elles ne sont pas juteuses, bien au contraire. À l'usine, tout le travail de transformation consiste à procéder à une évaporation afin d'obtenir une pâte très dense. Une tomate de supermarché, qu'elle provienne d'une serre ou d'un champ, est tout à fait inadaptée à la production de concentré de tomates selon les standards industriels en vigueur. Si des conserveries au XXe siècle ont pu transformer des surplus de tomates destinées initialement au marché de frais afin de ne pas les gaspiller, cette pratique est désormais rarissime.

Transformer de la tomate en concentré selon les standards de la filière mondiale implique tout à la fois de cultiver des variétés de tomates industrielles qui soient adaptées aux machines de l'usine et d'adapter les machines aux tomates industrielles. Les usines de transformation fabriquent à partir de variétés de tomates sélectionnées des pâtes qu'il serait tout à fait impossible d'obtenir dans une cuisine domestique. L'eau des tomates est extraite par de puissants évaporateurs sous pression à une température inférieure à cent degrés Celsius de manière à ce que celles-ci ne cuisent pas, que le sucre qu'elles contiennent naturellement ne caramélise pas, et que le produit ne soit donc ni brûlé, ni dégradé, et que sa couleur ne soit pas altérée, c'est-à-dire brunie. La transformation industrielle tend à préserver au maximum les qualités du fruit. Du moins est-ce là le procédé optimal mis en œuvre pour obtenir du concentré de bonne qualité.

De la même manière qu'il existe plusieurs procédés de raffinement du pétrole permettant d'obtenir différents types d'essence, l'industrie de la tomate est en mesure de produire des qualités différentes, dont les critères sont la concentration, la couleur, la viscosité, l'homogénéité (avec ou sans morceaux résiduels), etc. Les principes de cette transformation ont peu évolué depuis les origines de cette industrie, au XIXe siècle, mais l'échelle de la production et les cadences de fabrication, elles, ont énormément changé. La filière s'est considérablement développée et s'est totalement globalisée, au point que toute l'humanité mange désormais de la tomate d'industrie.

Parce que le soleil est une source d'énergie abondante et gratuite, toutes les tomates d'industrie, variétés buissonnantes, poussent en plein champ sur d'immenses étendues et sont récoltées durant l'été. En Californie, les récoltes débutent parfois dès le printemps et s'achèvent, comme en Provence, à l'automne.

Nous ne la remarquons même plus tant elle est intégrée à notre quotidien. Ingrédient incontournable de la *junk food* autant que de la diète méditerranéenne, la tomate dépasse les clivages culturels et alimentaires, et n'est soumise à aucun interdit. Les « civilisations du blé, du riz et du maïs », concept forgé par l'historien Fernand Braudel permettant de distinguer à travers les âges des territoires et leurs populations en fonction de leurs cultures agricoles et de leur alimentation de base, ont aujourd'hui cédé la place à une seule et même « civilisation de la tomate ». Fruit pour le botaniste, légume pour le douanier, baril pour le trader : la consommation de la tomate s'est répandue sur tous les continents et a fait très vite la fortune de son industrie. Ketchup, pizza, sauces diverses, qu'elles soient *barbecue* ou *mexican*, plats préparés, surgelés ou en conserve, la tomate d'industrie est partout. Mélangée à de la semoule ou à du riz, elle entre dans les recettes des plats populaires et roboratifs du monde entier, autant que dans les mets traditionnels, du mafé à la paella, en passant par la chorba. En jus dans l'avion, en tartine au Maghreb, de l'Australie à l'Iran, du Ghana à l'Angleterre, du Japon à la Turquie, de l'Argentine à la Jordanie, le concentré de tomates et tous ses dérivés sont parfaitement universels. En menant cette enquête, j'ai découvert que, sur les marchés des pays les plus pauvres du monde, on vend parfois le concentré de tomates à la cuillère, pour des sommes infinitésimales, l'équivalent de quelques centimes d'euro. Le concentré de tomates est le produit industriel le plus accessible de l'ère capitaliste. Il est à la disposition de tous, y compris des personnes en situation de « pauvreté absolue » qui vivent avec moins de 1,50 dollar par jour. Aucune autre marchandise de l'ère capitaliste n'est parvenue à une telle hégémonie globale.

Cultivée dans 170 pays selon l'Organisation des Nations unies pour l'alimentation et l'agriculture (FAO), la tomate, tant vivrière que d'industrie, enregistre depuis plus de cinq décennies une progression spectaculaire de sa consommation mondiale. En 1961, la production mondiale de pommes de terre était d'environ 271 millions de tonnes et celle de la tomate lui était dix fois inférieure, avec 28 millions de tonnes. Depuis cette date, la production de pommes de terre a augmenté de deux et demi (376 millions de tonnes en 2013) et celle de la tomate a été multipliée par six pour atteindre 164 millions de tonnes annuellement. L'industrie de la tomate, avec 38 millions de tonnes de fruits transformés en 2016, représente un quart de cette production totale.

Loin de l'image bonhomme du fruit joufflu que colportent les marques par leurs logos et leur communication, des hommes d'affaires se livrent pour elle une guerre économique impitoyable. Selon le Conseil mondial de la tomate d'industrie (WPTC), le chiffre d'affaires annuel de la filière s'élève à 10 milliards de dollars. C'est un petit milieu, au sein duquel une poignée d'acteurs règne en maîtres sur le quart des tomates que consomme l'humanité. Ils sont italiens, chinois, américains… Parme, en Italie, est le berceau de cette industrie qui essaima d'abord aux États-Unis. La ville est toujours un centre névralgique. Ses traders et ses constructeurs de machines-outils jouent un rôle primordial au sein de la filière, entre les deux géants, l'américain et le chinois.

Il existe de nombreuses enquêtes journalistiques sur les grands marchés que se partagent, selon des intérêts géopolitiques ou géostratégiques divergents, un nombre réduit d'acteurs. Du pétrole à l'uranium, des diamants aux armements, des terres rares, si indispensables au secteur électronique, aux produits miniers, les investigations ne manquent pas : toutes les matières premières sont un jour ou l'autre analysées par des enquêteurs rigoureux. Il en va de même des denrées agricoles de base. Il est cependant un mot qui, aussitôt prononcé, prête à sourire. Qui ferait une enquête sur la tomate ? C'est irrésistible. Quelle drôlerie, la *tomate* ! Et pourtant... Au début de mon enquête, je remarquais un étonnement amusé lorsque j'évoquais ce sujet devant mes interlocuteurs. Cette réaction aurait pu être un frein. Elle devint un moteur. Cette surprise incrédule me fit comprendre que l'aventure industrielle de la tomate avait échappé à toute interrogation, à toute curiosité. Le consommateur ignore comment la tomate industrielle s'est imposée à toute l'humanité. Il sait certes probablement que le bassin d'origine de la tomate « sauvage » est l'Amérique du Sud, mais déjà est plus floue l'idée que son industrie a débuté au XIXe siècle au sein de la Vieille Europe, en Italie, avant que l'une des toutes premières multinationales de l'histoire moderne, la Heinz Company, n'invente aux États-Unis, pour elle-même, une précoce mais véritable mondialisation à base de tomate.

J'ai choisi d'aller vivre à Rome et d'apprendre l'italien. Il n'y aurait pas de meilleure position pour sillonner la péninsule du nord au sud, entre les sièges des grandes marques italiennes et les conserveries de la Campanie. J'ai parcouru des dizaines de milliers de kilomètres, de l'Asie à l'Afrique, de l'Europe à l'Amérique du Nord, pour remonter la filière. J'ai arpenté un grand nombre de champs et visité des usines. J'ai rencontré les dirigeants les plus importants de cette industrie, aussi bien que ses ouvriers anonymes, ses paysans ruinés et ses cueilleurs relégués dans de vastes bidonvilles.

Quoi de mieux qu'une marchandise universelle, tellement familière à tout un chacun qu'elle semble « naturelle », qu'elle se présente dans une évidence intemporelle, pour raconter l'histoire inconnue de son avènement, pour exposer les logiques qui ont présidé à son essor et pour dévoiler les rapports de production dans notre monde globalisé ? Et si cette histoire-là, pour anecdotique qu'elle paraisse au premier abord, avait une épaisseur insoupçonnée ? Et bousculait légèrement le récit habituel de l'histoire de l'industrialisation, et notre vision des derniers épisodes de la globalisation ?

« Les histoires des plus grandes *companies* des États-Unis sont bien plus que de simples chroniques de réussites personnelles ou d'entreprises, car elles offrent également un portrait des évolutions de la Nation. Inspirés par une vision du monde propre aux États-Unis, stimulés par l'innovation technologique et appuyés par la multitude croissante des infrastructures, les entrepreneurs légendaires, à la fin du XIXe et au début du XXe siècle, ont contribué à façonner les États-Unis ainsi que leur destin. Certaines de ces entreprises à la présence durable ont acquis une envergure internationale et influencé notre siècle. La H. J. Heinz Company est l'une de ces entreprises. »

Henry KISSINGER[1]

---

1. Henry Kissinger, préface à Eleanor Foa Dienstag, *In Good Company : 125 Years at the Heinz Table*, New York, Warner Books, 1994.

Chapitre 3

I

British Library, Londres

C'est un petit coffret de carton bleu, contenant un ouvrage à la typographie soignée. « *The Golden Day* », annonce la belle reliure. À lui seul, ce livre raconte un chapitre méconnu de l'industrie de la tomate : son rôle de pionnière dans l'invention de la mondialisation. Le 11 octobre 1924, à 18 h 30 heure de Pittsburgh, 15 h 30 heure de San Francisco, 23 h 30 heure de Londres, débutèrent simultanément soixante-deux banquets parfaitement synchronisés, répartis dans différentes villes des États-Unis, du Canada, d'Angleterre et d'Écosse. Le menu global fut strictement le même partout à travers la planète. Dix mille plats identiques furent servis au même instant, de la côte du Pacifique aux îles Britanniques. Grâce à l'usage d'une technologie de communication radio de pointe, des haut-parleurs retransmirent en direct, sur trois continents, les discours et les chants du banquet central de Pittsburgh, en Pennsylvanie, où dînaient trois mille convives. Les discours de l'événement parvinrent grâce aux ondes jusqu'au Cap, en Afrique du Sud, où avait été installé un récepteur.

Cette fastueuse cérémonie d'autopromotion a été imaginée par Heinz. Le banquet mondial du 11 octobre 1924 avait été précédé le matin même par l'inauguration, au siège de la Company à Pittsburgh, d'un mémorial à la gloire de son fondateur décédé cinq ans plus tôt. Dans l'immense rotonde au sol pavé de marbre et plantée de colonnes cannelées, la plus ancienne employée de la Compagnie avait eu l'honneur de tirer d'un coup sec le voile couvrant une haute statue de bronze. Devant l'assemblée avait surgi la silhouette du capitaine d'industrie ayant été de son vivant l'un des dix hommes les plus riches des États-Unis[1] : Henry J. Heinz, figure incontournable du capitalisme industriel. À sa mort, en 1919, la Heinz Company était déjà le leader mondial de la production de ketchup, de *baked beans* à la sauce tomate, ainsi que de conserves de cornichons. La multinationale employait alors plus de 9 000 personnes à plein temps à travers le monde, et plus de 40 000 durant les récoltes ; elle possédait en propre plus de 400 wagons de marchandises.

Le bronze du patron ainsi que deux bas-reliefs scellés dans la pierre avaient été réalisés par Emil

1. Quentin R. Skrabec, *H. J. Heinz, A Biography*, *op. cit.*, p. 182.

Fuchs, artiste connu pour avoir peint et sculpté l'effigie de nombreux monarques du début du XXe siècle.

II

« La chose que nous sommes en train de faire ce soir n'aurait pu être qualifiée, il y a quelques années de cela, que de miracle », débuta le président des États-Unis d'Amérique John Calvin Coolidge, qui avait accepté d'adresser par téléphone aux convives du « Golden Day » le discours le plus important du banquet mondial. Le président républicain loua le triomphe du modèle Heinz : « Dix mille employés et dirigeants d'une entreprise formidable célèbrent ensemble son cinquante-cinquième anniversaire en dînant ensemble. [...] Ils écoutent les mêmes discours, prononcés par les mêmes orateurs, dans tous ces lieux à travers le monde, au même moment. Cela nous dit combien sont merveilleuses les réussites de la science. Cela souligne à quel point les grandes destinées de l'humanité sont liées au progrès de l'invention et de la découverte. Nous avons besoin, jour après jour, de nous préparer à plus de vitesse afin de suivre le rythme de notre propre progrès. »

Président des États-Unis de 1923 à 1929, Coolidge est resté célèbre pour ses baisses d'impôts en faveur des plus riches et sa politique économique de « laisser-faire » qui serait, selon de nombreux économistes et historiens, l'une des origines de la Grande Dépression des années 1930. En 1924, année du « Golden Day », la Heinz Company fit publier des encarts publicitaires où l'on pouvait apercevoir deux coupes du globe terrestre. Chaque continent était constellé de travailleurs du monde entier aux peaux de couleurs différentes, vêtus de leurs habits traditionnels, tous reliés d'un trait à une pastille bleue centrale, ornée de fruits et de légumes, où il était inscrit « 57 variétés de choses bonnes à manger ». « Des jardins du monde, aux marchés du monde », disait la publicité, affirmant que 195 agences, comptoirs ou entrepôts disséminés sur la planète étaient alors nécessaires à l'approvisionnement des usines Heinz. Et ce, « afin que soient distribuées les 57 variétés dans tous les pays civilisés du monde ».

III

Le 8 novembre 1930, soit six années après le premier « Golden Day » de la Heinz Company, se tint une nouvelle édition du même banquet mondial où des dizaines de milliers de travailleurs rassemblés en une étrange Internationale dînèrent une nouvelle fois simultanément sur toute la planète. Les travailleurs Heinz étaient en cette deuxième occasion un peu plus nombreux, l'Espagne et l'Australie ayant rejoint la boucle. Ce fut cette fois au 31e président des États-Unis,

Herbert Hoover, de prendre la parole : « C'est un plaisir de participer à cet hommage rendu à M. Heinz par ses employés à travers le monde. [...] C'est une véritable satisfaction pour moi de célébrer l'anniversaire d'une compagnie comptant plus de soixante années de paix industrielle continue. Cette longue histoire est la preuve qu'il existe un intérêt commun et mutuel dans leurs relations entre l'employeur et l'employé », proclama le président républicain.

La Heinz Company était en effet devenue l'une des plus importantes entreprises des États-Unis, sans qu'aucune grève y ait été jamais menée, et ce depuis son origine, ce qui était tout à fait exceptionnel pour l'époque.

« La mécanisation est si emblématique de notre civilisation moderne que nous avons souvent tendance à oublier que la machine la plus merveilleuse et la plus puissante du monde, ce sont les hommes et les femmes eux-mêmes », poursuivit le président des États-Unis. Comme son prédécesseur Coolidge avant lui, Hoover admirait en cette entreprise un fleuron de l'industrie, au même titre que Ford, à l'époque déjà numéro un mondial du ketchup. L'engouement dans les milieux d'affaires pour cette firme transnationale ne portait pas seulement sur sa formidable efficience industrielle, ni sur son avance technologique en matière de capacité de transformation et de conditionnement. Si les bouteilles rouges produites par Heinz fascinaient alors tant d'hommes politiques, d'industriels ou d'éditorialistes de la presse économique aux

États-Unis, c'était d'abord et avant tout parce que tous considéraient que la Company incarnait un modèle singulier et prometteur. Un modèle capable d'extraire de phénoménales plus-values sans connaître de conflits entre le travail et le capital ; il résistait à la progression mondiale du socialisme et des syndicats s'en réclamant. Et ce partout, dans toutes les filiales internationales de la Heinz Company.

Lors de ce deuxième banquet mondial donné par la Heinz Company, une année à peine après le krach boursier d'octobre 1929, le président Hoover, promoteur zélé du libre-échange, s'adressa avec beaucoup d'enthousiasme aux ouvriers et dirigeants de la Heinz Company afin d'appeler de ses vœux la mondialisation de son modèle. Hoover déplora en effet que l'expérience de la multinationale Heinz « ne soit pas universelle ». Car, poursuivit-il, « si elle l'était, le monde serait nanti d'un génie capable d'innombrables enrichissements du bonheur humain ». Hoover consacrait définitivement la légende de Heinz et, avec elle, l'œuvre salvatrice de l'industrie nord-américaine.

IV

Henry Ford Museum, Dearborn, Michigan, États-Unis

Où débute l'histoire mythifiée des États-Unis, qui n'est autre que celle de la grande saga industrielle ?

On peut trouver quelques éléments de réponse à Dearborn, Michigan. Pour se déplacer dans le musée Henry-Ford, qui célèbre le capitalisme industriel, certaines familles de visiteurs prennent le train à vapeur, d'autres préfèrent monter à bord de l'une des authentiques Ford T qui sillonnent le « Greenfield Village », la plus grande exposition permanente des États-Unis, tout à la fois parc d'attractions et mausolée à la gloire des entrepreneurs « visionnaires et audacieux ».

Ici, à Dearborn, l'un des berceaux de l'industrie automobile, les enfants peuvent boire des sodas et manger d'énormes sucreries en découvrant le laboratoire de Thomas Edison, la boutique de bicyclettes des frères Wright ou le premier atelier de Henry Ford. Le complexe touristique propose de circuler sur une passerelle, en surplomb d'une chaîne de montage de camions. On peut admirer une quantité phénoménale de vieux véhicules motorisés en tout genre, qu'il s'agisse de voitures présidentielles, de machines agricoles ou d'avions jadis pilotés par des pionniers. La fonction de toutes ces reliques placées sous la lumière des projecteurs ? Raconter une légende, celle des États-Unis d'Amérique.

Avec ses cinq fenêtres à l'étage, ses deux petites cheminées et ses briques rouges, il est impossible de la confondre avec aucune autre bâtisse. C'est bien elle, « la maisonnette où nous avons débuté ». C'est pour l'admirer que j'ai fait le pèlerinage de Dearborn, en Terre sainte du capitalisme. La maisonnette est en quelque sorte l'ancêtre du garage de Steve Jobs, de ces bâtiments petits, étroits, inconfortables, où les entrepreneurs milliardaires se doivent de débuter leur fulgurante ascension. Dénuée du moindre faste, sans cachet, elle n'en est pas moins l'un des lieux les plus mythiques du pays.

Construite à Sharpsburg, en Pennsylvanie, par la famille Heinz en 1854, la modeste maison familiale de Henry John Heinz fut une première fois démontée en 1904 pour être déplacée et remontée au sein du gigantesque complexe industriel des conserveries Heinz à Pittsburgh. La maisonnette servit d'emblème à l'entreprise, elle fut reproduite sur de nombreux journaux, cartes, affiches, médailles et pendentifs décernés aux ouvriers Heinz les plus méritants tout au long du XXe siècle. Une lampe de Noël inspirée de la maisonnette était encore offerte en 1996 aux employés de la multinationale.

Après l'avoir fait démonter puis déplacer une seconde fois, la Heinz Company l'offrit au musée Henry-Ford de Dearborn le 16 juin 1954, lors d'une cérémonie sous le patronage des petits-fils de Henry J. Heinz et de Henry Ford. Ce jour-là, Henry John « Jack » Heinz II remit avec gravité à William Clay Ford les clefs de la maisonnette depuis son perron.

« La H. J. Heinz, qui est née dans cette maison, informe fièrement une pancarte à son entrée, a développé un grand nombre de techniques promotionnelles pour influencer le consommateur dans son acte d'achat. Heinz a utilisé une marque, des logos et de nouvelles stratégies pour obtenir la reconnaissance de ses produits, et ce afin d'accroître ses ventes et ses profits. » À l'intérieur de la maisonnette sont exposées les toutes premières marchandises produites par la multinationale, dont la célèbre bouteille de ketchup octogonale. Avec la bouteille de Coca-Cola, elle est l'un des plus célèbres symboles de l'américanisation du monde.

Soigneusement encadrée, j'aperçois une affiche Heinz du début du XXe siècle, destinée aux ouvriers. C'est l'une de mes préférées : la maisonnette est baignée d'un halo de lumière or, digne d'une étable au matin de Noël – « C'est ici que toute l'histoire a commencé », dit l'affiche.

V

La légende raconte que Henry John Heinz, alors qu'il était encore un enfant, débuta dans le *business* des conserves de légumes en aidant sa mère, d'origine allemande, à commercialiser des conserves de raifort. De nos jours, toutes les bouteilles de ketchup Heinz vendues dans le monde affirment, à tort, que la Heinz Company a été fondée en 1869, date de création de la toute première entreprise de Henry John Heinz. C'est pourtant faux : cette entreprise fit faillite à la suite de la grande crise bancaire de mai 1873, un krach boursier à l'origine de la Grande Dépression de 1873-1896. Les thuriféraires de Henry John Heinz s'ingénièrent cependant à cacher au grand public cette faillite, dont il n'est pas fait mention dans la première biographie officielle du « Fondateur », publiée en 1923[1], peu après sa mort. La première entreprise de Henry J. Heinz ayant fait faillite, sa seconde compagnie, la « Heinz Company » que nous connaissons, naît en 1876.

Un an plus tard, alors qu'il n'a que trente-trois ans et utilise pour la première fois dans son usine des boîtes de conserve, Henry John Heinz est profondément traumatisé par la grande grève du rail de l'été 1877, dont l'un des épisodes les plus sanglants est la brève « Commune de Pittsburgh[2] » qui dure du 19 au 30 juillet. Cette grève, déclarée par les cheminots américains en réplique à des réductions de salaire et d'effectif, a fédéré la population, alors frappée d'une

---

1. E. D. Mc Cafferty, *Henry J. Heinz*, New York, Bartlett Orr Press, 1923.
2. Howard Zinn, *A People's History of the United States*, New York, HarperCollins, 1980.

extrême pauvreté. La lutte sociale a été soutenue et dans certaines villes organisée par l'une des toutes premières formations d'obédience marxiste d'Amérique du Nord, le Parti des travailleurs des États-Unis. Le conflit social mobilise cent mille travailleurs. Dans de nombreux États éclatent des grèves non contrôlées par des syndicats. Des grévistes sont parvenus à prendre le contrôle de Chicago, Pittsburgh et Saint-Louis. Durant une semaine, les communications sont coupées entre la Côte Est et la Côte Ouest. Le pays est paralysé, et les entrepreneurs pétrifiés : l'épisode est la première « peur rouge » aux États-Unis. Six ans seulement après la Commune de Paris, dont le souvenir est encore dans toutes les têtes, les scènes de violence et de destruction des émeutiers et celles de leur répression rappellent la guerre de Sécession. La presse s'interroge : les anarchistes seraient-ils en train de prendre le pouvoir aux États-Unis ? Le 25 juillet 1877, Marx écrit à Engels : « Que penses-tu des travailleurs des États-Unis ? Ce premier soulèvement contre l'oligarchie capitaliste depuis la Guerre Civile sera bien entendu brisé, mais il pourrait marquer la naissance d'un parti ouvrier sérieux aux États-Unis[1]. »

La révolte est réprimée au canon par les troupes fédérales. La répression donne lieu à de multiples bains de sang. De nombreux grévistes sont tués dans le Maryland, en Pennsylvanie,

1. *Marx and Engels on the Trade Unions*, édité par Kenneth Lapides, New York, Praeger, 1986.

dans l'Illinois et le Missouri. Dans la seule ville de Pittsburgh, soixante et une personnes trouvent la mort. Dans son journal personnel, Henry John Heinz consigne les détails de ces événements violents et s'inquiète du fait que les classes populaires, en ces jours sanglants, ont pris le parti des grévistes promouvant la lutte des classes.

Pour conjurer ce que l'on appellerait bientôt le « péril rouge », Henry J. Heinz, puritain et hygiéniste, décide de mettre en œuvre dans son entreprise ce que l'on n'appelait pas encore le paternalisme. Sa firme allait devenir un modèle du genre. Son organisation sociale irait de pair avec un mode de production « scientifique » précurseur.

VI

Heinz History Center, Pittsburgh

Avant que Ford n'assemble des automobiles standardisées sur des chaînes de montage, il sortait des ateliers Heinz de Pittsburgh des boîtes de *baked beans* à la sauce tomate fabriquées sur de véritables lignes de production où les tâches, déjà parcellisées, étaient en cours d'automatisation. Le sertissage des boîtes fut automatisé dès 1897, soit onze ans avant la mise en production de la Ford T. Les archives du Heinz History Center conservent des photographies datées de 1904 où l'on voit des ouvrières en uniforme Heinz travaillant sur une ligne de production : les bouteilles de ketchup s'y déplacent sur un rail. En 1905, Heinz vendait un million de bouteilles de ketchup ; deux ans plus tard, douze millions. Lorsque, en 1903, Michael Joseph Owens, inventeur de la première machine ayant automatisé la production des bouteilles de verre, décida de commercialiser son invention, la Heinz Company se montra aussitôt intéressée pour produire elle-même les bouteilles de ses produits ; elle fut l'une des premières entreprises au monde à s'équiper massivement de ces nouvelles machines. Cet investissement permit d'accentuer fortement la rationalisation d'une production de masse déjà standardisée. Cette solution fit baisser drastiquement le coût des contenants en verre, qui représentait jusqu'alors une limite au développement des ventes de produits Heinz, dont un certain *tomato ketchup*. Grâce à l'introduction des machines-outils d'Owens, le coût de revient de la bouteille de ketchup fut soudain divisé par dix-huit. Ces équipements industriels furent rendus possibles grâce à une bonne maîtrise de l'énergie et de l'évolution de ses technologies : les ateliers Heinz de Pittsburgh renoncèrent très tôt au charbon pour le gaz, puis ils furent parmi les tout premiers des États-Unis à être raccordés au réseau d'électricité du pays.

Quelques années auparavant, en 1898, l'ingénieur Frederick W. Taylor rejoignait comme consultant la Bethlehem Steel, à l'est de la Pennsylvanie, l'un des géants de l'acier. Il fit appliquer ses principes d'organisation « scientifique » du travail : analyse rigoureuse de toutes les tâches inhérentes à la production, division du travail et optimisation de chaque poste. Le taylorisme devait bientôt passer dans l'une des aciéries de Pittsburgh, puis faire école dans d'autres usines des environs, parmi lesquelles les ateliers de conserverie de la Heinz Company… qui allait encore améliorer l'organisation de sa production en l'automatisant partiellement et en utilisant des convoyeurs.

Mouvements des ouvriers chronométrés, gestes inutiles traqués, cadences augmentées drastiquement : une fois le *scientific management* imposé aux ouvriers, les rendements de la Heinz Company augmentèrent fortement, ce qui engendra une diminution des prix de revient des marchandises. Heinz, toute première entreprise agro-alimentaire à adopter les méthodes d'organisation « rationnelle » du travail qui firent très vite la réputation du taylorisme, devint l'un des pionniers de la production de masse aux États-Unis.

En 1905, Heinz traverse l'Atlantique et fait construire sa première usine en Angleterre. La firme avait une implantation au Royaume-Uni depuis 1896[1], elle y exportait ses produits. Elle décide de produire sur place. Une photographie du siège britannique, prise à Londres en 1903, témoigne des inscriptions géantes peintes sur la façade de l'immeuble anglais :

---

1. Eleanor Foa Dienstag, *In Good Company : 125 Years at the Heinz Table*, *op. cit*.

HEINZ
AMERICAN
TOMATO PRODUCTS
57 VARIETIES

Signe d'une réussite fulgurante, la Heinz Company concentre à elle seule en 1907 un cinquième des investissements de l'industrie agroalimentaire aux États-Unis[1]. En 1910, elle produit annuellement 40 millions de boîtes de conserve et 20 millions de bouteilles de verre. Du fait de la diffusion à l'international de ses marchandises, la firme est à cette époque la plus importante multinationale des États-Unis[2].

Avant le fordisme, l'organisation pensée par Henry J. Heinz systématise avec une incroyable minutie le recours au taylorisme et au travail à la chaîne ; elle s'accompagne d'une politique de « hauts salaires » pour les ouvriers qui acceptent de régler leur comportement sur les normes promues par l'entreprise : Heinz défend une politique paternaliste inédite. Non seulement il s'agit d'appliquer les gestes de travail prescrits, mais aussi de s'inscrire dans la vie organisée par l'entreprise : autour de l'usine sont installés des gymnases, des terrains de sport ou des piscines que les ouvriers sont invités à fréquenter, ainsi que des bibliothèques dont les livres et les journaux ont été soigneusement sélectionnés. Les travailleurs sont

1. « The Story of Pittsburgh and Vicinity », Pittsburgh, *The Pittsburgh Gazette Times*, 1908.
2. Quentin R. Skrabec, *H. J. Heinz, A Biography*, *op. cit.*, p. 189.

encadrés et éduqués conformément aux valeurs puritaines du patron. Toutes les autres publications sont interdites. Pour les loisirs, il y a le parc ; celui de Pittsburgh accueille même un alligator que le patron a acheté lors de l'un de ses voyages en Floride.

Au début du XXe siècle, l'entreprise rivale, la Campbell Soup Company, rationalise elle aussi sa production, mais selon la méthode Bedaux, succédané de taylorisme ; elle est confrontée à des conflits à répétition et à des luttes syndicales d'envergure, luttes déclenchées par l'extrême dureté des conditions de travail et la violence de la répression anti-syndicale[1]. Il ne se produisit jamais ce type de conflit chez Heinz à la même période. L'usage immodéré du « bâton » par la direction de la Campbell Soup contre ses travailleurs n'est pas l'option choisie par la Heinz Company, qui fait pour sa part le choix, précoce et stratège, de la « carotte » paternaliste. Il s'avère beaucoup plus efficace pour maintenir l'ordre souhaité par la direction au sein de l'entreprise. En choisissant de payer davantage ses ouvriers les plus dociles, qui présentent « une bonne moralité », l'entreprise bénéficie des avantages que va rechercher Henry Ford en instaurant le « *Five dollars a day* » : fidélisation de la main-d'œuvre formée et obéissante, baisse importante du turn-over, augmentation du niveau de

1. Daniel Sidorick, *Condensed Capitalism : Campbell Soup and the Pursuit of Cheap Production in the Twentieth Century*, Ithaca (NY), ILR Press, 2009.

consommation des ouvriers, dont une part pourra être faite en produits de la maison.

Dès les années 1890, Henry John Heinz crée au sein de l'entreprise un « département de sociologie » : il a pour mission d'étudier la main-d'œuvre et de lancer des actions psychologiques dans sa direction, exactement comme le fera Henry Ford. Heinz peut également compter sur des troupes de choc à l'intérieur de son site industriel, la « *Pickle Army* » : une authentique section spéciale, composée d'ouvriers d'élite triés sur le volet, chargés de faire régner l'ordre, la tempérance et la bonne moralité au sein des ateliers, mais également d'y assurer l'endoctrinement des autres ouvriers.

VII

Cimetière de Homewood, Pittsburgh

Au tournant du XXe siècle, Pittsburgh est l'un des principaux foyers de l'économie mondiale. De nombreuses grandes fortunes industrielles s'y sont faites. Les nouveaux riches vivent dans un seul et même quartier de la ville, « East End[1] ». Parmi eux, un nombre pléthorique de banquiers, d'élus du Congrès et du Sénat – Washington n'est

1. Quentin R. Skrabec, *The World's Richest Neighborhood : How Pittsburgh's East Enders Forged American Industry*, New York, Algora Publishing, 2010.

pas loin –, et bien sûr d'industriels : les milliardaires les plus en vue sont les grands de l'acier, Charles Michael Schwab, Henry Clay Frick ou encore l'« homme le plus riche du monde », Andrew Carnegie. Le magnat de l'électricité George Westinghouse ainsi que le père de l'industrie du verre Edward Libbey sont aussi des « East Enders ». La dynastie Heinz est l'une des grandes familles du quartier. De nos jours, au sein du paisible et verdoyant cimetière de Homewood à Pittsburgh, les voisins de jadis le sont encore : le mausolée de la dynastie Heinz, un imposant cube blanc percé d'un vitrail et orné d'une coupole, est à quelques mètres à peine de la tombe du tristement célèbre Henry Clay Frick, le magnat de l'acier dont la milice, armée de fusils Winchester, assassina neuf ouvriers grévistes dans la nuit du 5 au 6 juillet 1892.

VIII

Heinz Street, Pittsburgh

Par-delà le Veterans Bridge qui enjambe la rivière Allegheny se dressent deux cheminées en brique rouge. « Heinz » annonce l'une ; « 57 » lui réplique l'autre. Dans l'histoire du capitalisme, la « Maison des 57 Variétés » de Pittsburgh – c'est son nom – ne fut pas un complexe industriel comme les autres : il s'agit du berceau mondial de l'agro-industrie.

Durant l'industrialisation, le recrutement de la main-d'œuvre par les conserveries se fit généralement, en Europe comme aux États-Unis, conformément au préjugé sexiste de l'époque : les tâches de préparation de la nourriture revenaient aux femmes. À Pittsburgh, centre de la sidérurgie, les hommes étaient embauchés pour faire fonctionner les hauts fourneaux et couler l'acier. Les femmes représentaient donc une main-d'œuvre disponible. Et elles présentaient un avantage : à travail égal, les ouvrières étaient payées deux fois moins que les ouvriers, ce qui n'échappait pas à l'employeur local qu'était la Heinz Company.

Les conserveries sont des lieux incontournables de l'histoire de la condition ouvrière féminine. En 1900, la Heinz Company emploie 58 % de travailleuses. Le recrutement s'ouvre aux ouvrières âgées de quatorze ans et plus. La main-d'œuvre féminine est majoritairement constituée de célibataires, dont l'âge varie entre quatorze et vingt-cinq ans, pour une moyenne de moins de vingt ans, comme en témoigne l'une des plus anciennes études sociologiques jamais menée aux États-Unis, le *Pittsburgh Survey* (1907-1908), dont le rapport final est publié en 1911. Constituée de six volumes accompagnés de photographies de Lewis Hine, sociologue et photographe qui rendit visible le travail des enfants aux États-Unis, cette étude a mobilisé plus de soixante-dix enquêteurs ; elle est une fresque précieuse de la pauvreté et de l'exploitation impitoyable frappant les travailleurs de Pittsburgh. En proposant une description méthodique et strictement factuelle du quotidien des travailleurs, ainsi que des statistiques précises ; en opposant les faits à la propagande des éditorialistes ou à la publicité de l'époque, cette étude eut un impact culturel important aux États-Unis. Elle marque une étape clé vers les réformes de l'« ère progressiste », deux décennies plus tard.

Le premier volume du *Pittsburgh Survey*, consacré à la condition ouvrière féminine, rédigé par la sociologue Elizabeth Beardsley Butler, s'intitule « Women and the Trades ». L'enquête s'ouvre sur les conditions de travail dans les conserveries de la ville. Alors que la loi en Pennsylvanie limite le temps de travail hebdomadaire à soixante heures, l'enquêtrice rapporte que, dans les conserveries, il peut atteindre les soixante-douze heures.

De nos jours, les images d'archives qui documentent le plus fréquemment le travail à la chaîne montrent le montage d'automobiles, un travail essentiellement masculin : elles étayent les représentations que nous avons des origines de la production industrielle de masse. Or, la réalité historique voudrait que ce soit tout autant l'image de jeunes filles, encore adolescentes, sous-payées, les mains et les bras portant des traces de brûlure, installées derrière une ligne de boîtes de conserve, une charlotte blanche sur la tête, qui soit entrée dans notre mémoire. Elles aussi, légitimement, devraient accéder au rang de prolétaires soumises aux cadences industrielles infernales. Et ce, parce que tous les traits caractéristiques communément accordés au modèle fordiste se trouvaient déjà, avec dix ans d'avance, dans les conditions de travail que leur réservait le heinzisme.

C'est aux mêmes principes d'organisation du travail que le taylorisme, le heinzisme et le fordisme ont puisé : mêmes stratégies de production de masse, même vision d'un monde capitaliste ordonné... Un même imaginaire et des exemples de réalisation que partagent les pionniers de l'agro-alimentaire et de l'automobile. Seule différence notable, les produits de masse standardisés de Heinz, ses conserves et sauces en bouteille de verre, étaient bien plus accessibles à l'ouvrier que l'automobile de modèle Ford T. Ils furent plus précocement achetés et consommés aux États-Unis.

Progrès dans la productivité résultant de la mécanisation, de la motorisation, de la standardisation et de la rationalisation de la production ; intensification du travail sous la pression de nouvelles méthodes d'organisation ; politique paternaliste d'intégration des travailleurs à la société capitaliste... La multinationale, dès sa fondation, posa les bases d'un modèle capable de s'imposer non seulement aux États-Unis, mais, plus largement, à la planète entière.

IX

« Produire les meilleurs aliments possibles ne donnerait que peu de résultats s'il n'y avait pas de demande pour eux... » Le chapitre « Heinz parle au monde » ouvre le livret d'accueil qui était distribué aux nouveaux travailleurs de l'entreprise dans les années 1950. Le texte évoque les relations publiques et la « division publicitaire » de la marque : « La division publicitaire joue un rôle majeur afin de stimuler et maintenir la demande. Pour mesurer la réussite de ce travail, il suffit d'observer la courbe croissante de nos ventes et de constater que le nom "Heinz", ainsi que ses 57 variétés sont désormais universellement connus. [...] Les publicités Heinz paraissent dans des magazines depuis plus de cinquante ans. Nous avons dans le milieu la réputation d'être un annonceur publicitaire exceptionnel. Dans des milliers de lieux proches de magasins ou d'activités commerciales, des pancartes et des affiches promeuvent les produits Heinz : ils sont un rappel constant. La radio joue un rôle également très important pour diffuser nos messages à des millions d'auditeurs. Mais nos autres activités sont tout aussi importantes : notre département de l'éducation fournit des pages aux magazines féminins, aux éditeurs de revues culinaires, aux commentateurs radiophoniques de programmes de cuisine, [et des préconisations] aux cuisines industrielles, mais aussi aux écoles, auxquelles nous offrons des informations pertinentes pour l'éducation. Notre département de la nourriture pour bébé travaille avec des hôpitaux, des nourrices, des nutritionnistes et des mères de famille. Notre département des expositions présente les produits Heinz dans des congrès rassemblant les restaurateurs ou des conventions médicales. Notre département des affaires économiques contribue aux efforts de toutes ces branches en développant et en testant des centaines de méthodes utilisées dans nos publicités, nos communiqués de presse et nos brochures. Si quelqu'un vous demande un jour quel est le travail de la division publicitaire Heinz, dites-lui simplement : "Elle parle au monde !" Car vous aurez raison. »

Chapitre 4

I

Pékin, Chine

Un luxueux quartier fermé, mitoyen d'un golf, dans le district de Chaoyang. Pour en franchir la première barrière, il faut s'annoncer à un garde en uniforme noir, qui décroche son téléphone et lance une procédure d'accès. Les clôtures sont hautes, électrifiées, équipées de caméras. Une tous les cinquante mètres. Dix minutes plus tard, la barrière se lève. Au cœur de l'écrin de verdure, d'autres gardes patrouillent à vélo. Les jardiniers sont nombreux, tout comme les voitures de luxe, garées devant les villas d'architecte. Arrêt au second check-point. Deuxième garde en uniforme noir, qui lance une autre procédure. Seconde attente. Énièmes grésillements de radio. La barrière se lève.

C'est chez lui, dans sa résidence ultra-sécurisée pour oligarques chinois, que m'a donné rendez-vous le général Liu Yi, fondateur et ancien dirigeant de l'entreprise militaro-agricole Chalkis. Sous le commandement du général Liu, Chalkis est devenu le premier exportateur mondial de concentré de tomates durant les années 2000. Il s'agit de la société chinoise qui a racheté l'usine provençale Le Cabanon en 2004. L'entreprise est l'un des fleurons du « Bingtuan », le conglomérat du Xinjiang aux mains de l'Armée populaire.

Depuis sa création, Chalkis refuse aux étrangers les visites d'usines ainsi que les entretiens avec ses dirigeants. Même les journalistes spécialisés qui couvrent l'actualité de la filière mondiale pour l'une des deux revues de référence, *Food News* et *Tomato News* – deux titres que l'on ne peut soupçonner d'être hostiles aux intérêts des industriels –, ne sont jamais parvenus à recueillir auprès de Chalkis des informations, ne serait-ce que factuelles. Aujourd'hui, l'entreprise continue de cultiver le secret avec une rigueur toute militaire. Quelques commerciaux, chargés de vendre à l'export les barils de concentré de tomates Chalkis, s'expriment parfois, le plus souvent sous le couvert de l'anonymat, mais leurs informations se bornent le plus souvent aux volumes de production ou d'échange, dans les grandes lignes. Il ne fuite jamais rien des investissements, des choix stratégiques, des partenariats ou des luttes de pouvoir en interne.

En juin 2014, alors que je débutais cette enquête, je m'étais rendu au Congrès mondial de la tomate d'industrie (WPTC), à Sirmione, en Italie, au bord du lac de Garde. Tous les

« maîtres du monde » de la tomate s'y étaient donné rendez-vous. Grands groupes transformateurs de tomates produisant du concentré en baril, traders, acheteurs des grandes multinationales de l'agro-alimentaire telles que Heinz, Nestlé ou Unilever, dirigeants de société proposant des « solutions de packaging » pour les marchandises, transporteurs, armateurs, semenciers, agro-chimistes, sans oublier les fabricants italiens de machines-outils qui commercialisent sur toute la terre des usines de transformation de tomates clefs-en-main... ils étaient tous là. Les plus hauts cadres de la filière mondiale, celle qui produit par centaines de milliers de tonnes les barils de concentré que consomme l'humanité, tout au long de l'année, s'étaient rassemblés à huis clos, durant trois jours. Les caméras de télévision étaient proscrites, à deux exceptions près : lors de la visio-conférence du commissaire européen à l'Agriculture et lors du discours du ministre italien de l'Agriculture venu célébrer la « qualité italienne » en clôture du congrès. Durant ces trois journées, j'avais essayé de multiplier les rencontres pour trouver mes premières sources, remplir mes poches de cartes de visite, prendre un cours intensif de tomate d'industrie, essayer d'apprendre les rudiments de la géopolitique du concentré et jouer au pique-assiette lors du dîner de gala avec orchestre où j'étais parvenu à m'introduire sans carton d'invitation grâce à la complicité d'un compatriote, un sympathique semencier pro-OGM...

Après une recherche opiniâtre, le deuxième jour, lors d'un cocktail, j'atteignis mon objectif numéro un : trouver la délégation Chalkis. Deux représentants de l'entreprise étaient accrédités, M. Ming Wu et Mme Lili Yu. Ils ne s'étaient pas jusqu'alors signalés, se tenant très en retrait. Ils n'avaient pas pris la parole. M. Ming Wu n'était autre que le numéro deux du groupe, son vice-président. Ingénieur de l'université des géosciences de Pékin, diplômé en économie de l'université de Shanghai, l'homme me fit comprendre qu'il n'aimait pas les questions, ou du moins pas les miennes. Lili Yu, qui l'accompagnait, parlait français : elle m'expliqua avoir étudié l'économie à l'université d'Aix-Marseille et avoir autrefois intégré pour le compte de Chalkis l'équipe dirigeante du Cabanon, à Camaret-sur-Aigues. Hélas, après avoir échangé brièvement avec moi quelques mots par courtoisie, elle s'éclipsa. Il était inutile de vouloir discuter de Chalkis. Deux années plus tard, j'aurais trouvé le moyen de parvenir à mes fins.

II

Après avoir fondé Chalkis en 1994 et l'avoir dirigée d'une main de fer pendant plus de vingt ans, le général Liu quitta l'entreprise en 2011 dans des conditions obscures. À compter de cette date, pour beaucoup d'industriels et de traders, Liu Yi semblait avoir disparu de la filière mondiale. Parce qu'il avait brusquement quitté la tête de Chalkis, on le disait déchu, certains se demandaient même s'il n'était pas « tombé » pour corruption... La rumeur était persistante, mais les preuves faisaient défaut. L'un des plus influents traders m'a affirmé[1] que le passeport du général Liu avait été saisi temporairement et que le dirigeant chinois avait fait l'objet d'une enquête. Ce trader n'est pas n'importe qui : sa société de trading a racheté à Chalkis en 2014 Le Cabanon. Il connaît très bien le général Liu pour avoir fait des affaires avec lui, il a acheté énormément de concentré auprès de Chalkis. Il a été un temps l'un des plus gros clients de Liu Yi. Mais là encore, les éléments de preuve faisaient défaut.

Quand j'interrogeais, au fil de mon enquête, les acteurs de la filière, que ce soit lors de salons internationaux de l'agro-industrie ou à Tianjin en Chine, sur le sort du général Liu, les uns gardaient prudemment le silence, quand d'autres s'amusaient de sa chute, me faisant comprendre que, dans l'industrie rouge, le général avait compté de nombreux rivaux et suscité beaucoup d'acrimonie – il n'y avait donc pas à s'étonner.

Mais qui était le général Liu ? Que devenait-il ? Avait-il connu un revers de fortune pour des raisons politiques, ou était-il de ces dirigeants chinois corrompus et corrupteurs que le nouveau président Xi Jinping souhaitait écarter des affaires ? Dans un pays où plus d'un million de membres du Parti ont fait l'objet d'une

1. Le 18 octobre 2016, SIAL, Paris.

enquête[1] depuis le lancement de la campagne anti-corruption, et de surcroît dans un business impitoyable comme celui de la tomate, où tous les coups sont permis, l'hypothèse me paraissait n'avoir rien d'extraordinaire. Cependant, je ne pouvais en rester là, il me fallait le rencontrer et l'interviewer.

Ce que je souhaitais connaître avant tout de lui, c'était l'histoire jamais écrite de la filière chinoise : comment la Chine s'était-elle convertie à la tomate d'industrie et en était-elle devenue le premier exportateur mondial ? Il y avait là bien du mystère. Rien de mieux pour le dissiper que de rencontrer le premier de ceux qui l'ont construite.

À partir des années 1990, la Chine est montée en puissance dans l'industrie de la tomate transformée, et ce jusqu'à devenir au début des années 2000 le premier producteur mondial de concentré. En 2016, bien qu'elle ne soit plus le premier État producteur au monde – il s'agit désormais de la Californie –, la Chine demeure le premier exportateur mondial de concentré de tomates. Pourquoi un pays sans marché intérieur s'est-il lancé dans cette culture très particulière ? Une denrée que la Chine ne consomme presque pas. Pourquoi cultiver de la tomate d'industrie au Xinjiang, le « Far West » chinois ? Quel a été le rôle de l'Armée populaire, du Bingtuan ? Et quelles étaient les raisons de la lutte entre les deux géants chinois, Cofco Tunhe et Chalkis ?

---

1. « La croisade anti-corruption de Xi Jinping au sein du Parti communiste chinois », *Le Monde*, 24 octobre 2016.

III

Sa chemise est ouverte. Sa chaîne en or brille. L'homme, qui fume cigarette sur cigarette, ne cesse de jongler avec ses nombreux téléphones portables. Sur son bureau s'amoncellent des études de marché sur l'évolution du *business* en Afrique. Durant notre entretien, le général Liu restera extrêmement évasif sur les raisons de son départ de Chalkis en 2011. Il me réserve cependant un accueil chaleureux, il a envie que ce moment soit entièrement consacré à sa légende.

Comme d'autres dirigeants de sa génération, Liu Yi ne parle que le mandarin. Et ce, bien qu'il ait fait des affaires toute sa vie avec des étrangers et qu'il ait vécu épisodiquement en France, après le rachat du Cabanon, à une époque où le Bingtuan disposait de bureaux sur les Champs-Élysées. Le général se rendait alors tous les mois dans l'Hexagone, où l'un de ses proches était Yanik Mezzadri, le plus important trader français spécialisé dans la tomate d'industrie. Lors de la vente du Cabanon, celui-ci travailla comme intermédiaire entre les dirigeants français de la coopérative provençale et Chalkis. Aujourd'hui propriétaire du titre *Tomato News*, le trader français est à la tête de la plus grande usine de transformation de tomates françaises, implantée à Tarascon, dans les Bouches-du-Rhône. Yanik Mezzadri continue d'être un influent trader de produits chinois sur le marché mondial.

Des années 2000, le général Liu a conservé sa carte de séjour décernée par la République française, qu'il tire d'un portefeuille pour me la montrer en riant. Je retourne la pièce d'identité : l'adresse est celle du Cabanon, route de Piolenc à Camaret-sur-Aigues, dans le Vaucluse. « Je suis un enfant du Bingtuan, débute Liu Yi[1]. C'est le Bingtuan qui m'a élevé. J'ai grandi au Bingtuan. Et j'ai travaillé pour le Bingtuan. »

IV

Bingtuan... Il est impossible de comprendre quoi que ce soit à l'organisation politico-économique du Xinjiang, ni même à la filière mondiale de la tomate d'industrie, sans être familiarisé avec les rouages de la plus puissante des organisations gouvernementales locales : le Corps de production et de construction du Xinjiang (CPCX), plus couramment appelé *Bingtuan*, littéralement le « Corps ».

Gigantesque machinerie administrative d'exception, le Bingtuan est une organisation militaire qui emploie et encadre plus de 2,6 millions de personnes, selon le chiffre officiel donné dans une vidéo interne du CPCX réalisée en 2011 que j'ai réussie à me procurer à Ürümqi, par une voie

1. Entretien avec Liu Yi, 21 août 2016.

non officielle. Le territoire du Bingtuan est composé de quatorze divisions, sur lesquelles sont répartis 175 « régiments fermiers ». En 2011, le Bingtuan était à la tête de quatorze sociétés commerciales, dont Chalkis, l'un de ses fleurons. Cofco Tunhe, son rival, n'appartient pas au Bingtuan. Les deux géants spécialisés dans la tomate d'industrie sont des entités distinctes. Cofco Tunhe est une société appartenant à l'État chinois, tandis que Chalkis appartient au Bingtuan. La différence vient du fait que le Corps de production et de construction du Xinjiang est un État dans l'État. Dans un Xinjiang grand comme trois fois la France, le Bingtuan contrôle environ un tiers des surfaces arables et réalise un quart de la production industrielle régionale. Les raisons de l'existence d'une telle organisation militaro-agro-industrielle tiennent à l'histoire du Xinjiang, l'une des cinq « régions autonomes » de la République populaire de Chine, située à son Extrême-Ouest : il s'agissait pour le régime communiste d'assurer l'amarrage au pays de ce vaste territoire stratégique, riche en pétrole, en gaz, en charbon, en uranium, propice à l'installation de sites militaires « sensibles » (45 explosions atomiques effectuées dans le désert du Taklamakan entre 1964 et 1996, dont 23 dans l'atmosphère). Pour cela, outre son administration spéciale, le Parti choisit d'en faire un territoire de colonisation par les Hans et de le « mettre en valeur ». Ce qui ne va pas sans des heurts : longtemps fermé aux étrangers, il ne nous parvient des informations de ce territoire que lorsqu'il s'y produit une explosion de violence, comme lors des émeutes ayant éclaté à Ürümqi les 5 et 8 juillet 2009 : les affrontements entre Hans et Ouïgours (turcophones, musulmans sunnites, environ neuf millions de personnes) firent, selon le bilan officiel, 197 morts et 1 684 blessés.

La première installation politique chinoise au Xinjiang remonte au milieu du XVIIIe siècle, sous la dynastie mandchoue ; elle fut suivie de révoltes des ethnies autochtones, puis d'une tentative politique chinoise d'assimilation[1]. La région a été intégrée à la Chine en 1884, après une brève indépendance de 1864 à 1877. Plus tard, une République turque islamique du Turkestan oriental est instaurée, le temps de quelques mois, entre novembre 1933 et février 1934, avant que les Chinois ne reprennent le contrôle du territoire. Après quoi, de 1944 à 1949, une fraction de celui-ci revint à l'URSS. L'annexion par la Chine en 1949 marque un coup d'arrêt à toutes les tentatives d'indépendance. À cette époque, les Hans n'étaient que 200 000 au Xinjiang. Ils sont aujourd'hui près de onze millions. Après sa politique de colonisation, la Chine met aujourd'hui en œuvre son grand projet de « Nouvelle Route de la soie », une astucieuse trouvaille de « marketing géopolitique[2] », désignant son programme de développement destiné à augmenter et fluidifier

1. Martine Bulard, « Quand la fièvre montait dans le Far West chinois », *Le Monde diplomatique*, août 2009.
2. Pierre Rimbert, « Le porte-conteneurs et le dromadaire », *Manière de voir*, n° 139, février-mars 2015.

ses échanges commerciaux, au-delà des pays frontaliers (huit, parmi lesquels le Kazakhstan, l'Afghanistan, le Pakistan, le Cachemire indien et la Russie), avec l'Iran, le Proche-Orient, l'Europe et l'Afrique.

La région demeure sous haute tension. Les communications avec l'étranger restent difficiles et sont étroitement surveillées. L'Internet y est plus contrôlé et plus fermement censuré qu'à Pékin. Dans un hôtel du Xinjiang, il m'a fallu demander une autorisation pour recevoir un appel extérieur. Nombre d'hôtels, de restaurants ou de commerces d'Ürümqi, la capitale du Xinjiang, accueillent leurs visiteurs par des portiques de sécurité, et n'importe quel voyage entre deux grandes villes de la région impose quotidiennement aux automobilistes de marquer des arrêts à de multiples check-points. À Ürümqi, croiser des camions anti-émeutes et des sections de policiers au coin de chaque rue est une chose banale. Dès l'arrivée à l'aéroport, le ton est donné, marqué par la présence d'un très grand nombre d'hommes casqués et lourdement armés. Une ambiance martiale qui n'est cependant pas la seule chose qui distingue le « Far West chinois » des régions les plus à l'est de la Chine.

Le Bingtuan, gigantesque consortium militaro-agro-industriel, est une spécificité propre au Xinjiang. Sa mission historique est la colonisation du territoire. Il a fait sortir de terre des villes entières, qu'il gère. Hôpitaux, écoles, universités, fermes, industries... Le Bingtuan est une véritable pieuvre, il a des ramifications dans tous les secteurs d'activités. Il extrait de ses mines et produit des matières premières, puis les transforme. Le coton qui pousse dans ses champs est acheminé vers ses filatures. Les tomates de ses terres sont transformées dans ses usines, puis, pour une partie, sont reconditionnées dans ses conserveries. Ses élevages fournissent ses abattoirs, ainsi que ses usines agro-alimentaires. Ses cultures immenses approvisionnent ses entreprises, qui conditionnent toutes sortes de denrées alimentaires. À quoi s'ajoute une puissante industrie chimique.

La création du Bingtuan remonte à octobre 1954. « À cette époque, selon la volonté du gouvernement central, des officiers et des soldats de l'Armée populaire de Libération rejoignent au Xinjiang le Corps de production et de construction », raconte, sur une musique martiale, le film d'autocélébration du Bingtuan destiné à ses membres que j'ai dégoté à Ürümqi et enregistré sur une clef USB. À l'écran défilent des images d'archives : parades militaires, chars d'assaut, vues aériennes d'immenses surfaces agricoles travaillées par des machines bien en rang. Des moissonneuses-batteuses, dans une parfaite diagonale, paradent dans un champ comme s'il s'agissait de tanks lors du défilé place Tian'anmen. Un avion réalise un épandage de pesticides. Des usines monumentales tournent à plein régime. D'immenses tours sont en construction… Puis, enchaînement, des images de cargos porte-conteneurs. Le productivisme bat son plein et réalise ses miracles : « Au cœur du désert du Taklamakan, et tout le long des frontières, le Bingtuan a mis en culture des millions d'hectares. Il a transformé des déserts en oasis luxuriantes, dit le commentateur. Le Bingtuan a construit une agriculture moderne, une industrie moderne. Il a fait sortir de terre des villes entières. Le Bingtuan rassemble le Parti, l'armée et les entreprises. Il est sous le commandement du gouvernement central et du comité du Parti du Xinjiang… »

Pour le Bingtuan, l'agriculture intensive et le commerce international semblent être le prolongement de la guerre par d'autres moyens. Aux yeux d'un Occidental, le film de présentation de CPCX a toutes les caractéristiques de l'apologie caricaturale du productivisme le plus débridé. C'est pourtant une vidéo de présentation à diffusion interne tout à fait sérieuse. En 2011, la production totale du Bingtuan a atteint une valeur de 96 884 millions de yuans, soit 13,2 milliards d'euros.

Et le commentaire de poursuivre : « En 2011, le Bingtuan a réalisé la plus importante production et exportation de tomates d'Asie. En gardant les frontières et en développant le territoire avec beaucoup de sang et de ferveur, le Bingtuan est l'une des plus glorieuses organisations humaines. Aujourd'hui, le Bingtuan se déploie à travers le monde, et ainsi le monde devient Bingtuan. »

Le film se termine par des images de mines d'uranium, de centrales nucléaires, de récoltes de tomates et de monuments d'esthétique réaliste socialiste. Les dernières images, de synthèse, en vue aérienne, annoncent une urbanisation de l'espace proliférant à toute vitesse, comme dans un jeu vidéo de construction.

V

« En 1977, la Chine démarre à peine la réforme économique et l'ouverture. Elle relance le concours national d'entrée à l'université, alors je décide de passer le concours. J'entre à la faculté des beaux-arts de l'Université normale du Xinjiang, me raconte le général Liu Yi. Après mes études, je deviens professeur dans une autre université, où j'enseigne pendant huit années. Mais, en 1989, je démissionne pour lancer mon entreprise. Au début, je ne faisais que du business frontalier, c'est-à-dire du commerce entre le Xinjiang et le Kazakhstan, entre le Xinjiang et la Russie, etc. C'est en 1994 que je crée Chalkis et en 1996 que j'entre dans l'industrie de la tomate. En 2000, Chalkis est cotée en Bourse. Je décide alors de cesser toutes les autres activités de l'entreprise – l'immobilier, la fabrication de meubles, la production de fourrage, l'élevage des cochons et des vaches – pour me consacrer exclusivement à l'industrie de la tomate.

« Au début, lors de la création de Chalkis, je détiens 30 % du capital. Les capitaux publics du Bingtuan, les entreprises publiques derrière le Bingtuan, détiennent les 70 % restants. Il y a alors la 2e, la 5e et la 8e Division de l'Agriculture. Quand

Chalkis est cotée en Bourse, je vends toutes mes actions et le Bingtuan acquiert toutes les actions. C'était logique qu'il en soit ainsi, car le Bingtuan possédait les terres. En 2010, pour mieux gérer l'entreprise et simplifier sa gestion, le Bingtuan cède toutes les parts à la 6e Division de l'Agriculture. Pourquoi la 6e Division ? Parce que la plupart des champs appartiennent à la 6e Division. Ainsi, c'est plus facile à gérer. »

Le « général » Liu n'a donc jamais dirigé d'unité combattante, mais une entreprise dont le capital était détenu par l'Armée populaire de Libération. Sous son commandement, des bataillons d'ouvriers chinois ont été lancés dans la guerre commerciale de la tomate.

« Quand j'ai débuté dans la tomate, se souvient Liu Yi, dans le milieu, à l'échelle mondiale, personne ne connaissait l'industrie chinoise. À l'époque, les pays réputés étaient l'Italie, le Sud de la France, l'Espagne, le Portugal, la Californie, une partie de la Turquie, la Tunisie… La Chine n'était pas encore une puissance. Après avoir fait une étude de marché, j'ai formulé une proposition auprès du Bingtuan : que la Chine devienne une base de production importante dans le monde. Chalkis avait un atout important : la société répondait à la volonté du gouvernement, qui était d'organiser la refonte industrielle de l'agriculture. Avant, au Xinjiang, on cultivait principalement du blé et du coton. Mais, pour ces cultures, il y a un problème de nature agronomique : après deux années de récolte, il faut planter autre chose. Alors, en cherchant une autre semence capable de remplacer le coton et d'apporter un bénéfice économique, nous avons considéré que la tomate était le meilleur choix. Le Bingtuan possède un vaste territoire, des terres en abondance, de nombreuses ressources. Nous avons obtenu le soutien du gouvernement. Nous avons reçu les ressources et la terre nécessaires. Le gouvernement local comme les responsables du Bingtuan se sont montrés très favorables à cette industrie "rouge".

« À cette époque, le Bingtuan a donc décidé que Chalkis deviendrait son entreprise principale, son fleuron. Et c'est ainsi que nous sommes devenus le numéro un mondial. »

Chapitre 5

I

Alberese, parc naturel de la Maremme, Toscane, Italie

Des fruits vermillon parfaitement mûrs scintillent dans un champ bordé d'oliviers majestueux. « Nous récolterons demain », fait savoir le producteur. Je me redresse pour contempler un instant la splendeur époustouflante de son exploitation biologique et croquer un fruit charnu, cueilli au hasard, encore chargé de la chaleur du jour. « Regardez, un lapin ! » s'exclament soudain les deux attachées de presse du groupe Petti, entreprise italienne fondée au pied du Vésuve en 1925 par Antonio Petti (1886-1955).

En ouvrant un grand nombre de marchés en Afrique ainsi qu'au Moyen-Orient tout au long du XXe siècle ; en devenant le leader mondial de la tomate pelée en 1971, puis, au tournant des années 1980, le plus grand producteur de petites boîtes de concentré au monde ; en fournissant près de 70 % de la demande en concentré de tomates en Afrique au début des années 2000 ; et en détenant une usine au Nigeria reconditionnant du concentré chinois à partir de 2005, l'entreprise napolitaine Petti est aujourd'hui un géant incontournable de la filière mondiale. Une pièce maîtresse sur l'échiquier de l'or rouge. Le groupe est le second plus gros acheteur de concentré de tomates au monde, derrière la Heinz Company. « Petti, la tomate au centre », assène son slogan diffusé quotidiennement à la télévision italienne.

Le groupe dispose de plusieurs usines en Italie, dont les activités sont distinctes les unes des autres. Son usine historique du Sud, en Campanie, ne transforme pas de tomates : elle reçoit des barils de concentré, notamment chinois, que des ouvriers et des machines reconditionnent en petites boîtes « produites en Italie ». À Nocera Superiore, dans la province de Salerne, Petti est à la tête de la plus grande usine européenne de conditionnement de petites boîtes de conserve et de tubes de concentré de tomates, des marchandises que le groupe exporte dans le monde entier. C'est à Nocera Superiore que travaille l'actuel patron du groupe portant le nom de son grand-père, Antonio Petti. Il me faut le rencontrer.

Cependant, parce que je ne veux pas faire un faux pas qui me priverait d'un entretien crucial pour cette enquête, et parce que je sais que les industriels napolitains ont toujours cherché à rester le plus discrets possible sur leurs affaires, j'ai décidé d'effectuer une première approche, en

Toscane, à Venturina. Ici, le groupe Petti transforme dans son usine des tomates d'industrie italiennes : cette qualité locale, le groupe ne cesse de la promouvoir dans ses campagnes de publicité très agressives. Les conserves de tomates qui sortent de l'usine toscane sont aux antipodes de la production napolitaine : ne sont transformées que des tomates qui ont poussé en Italie, pour une part biologiques ; le concentré et les sauces qui en sont issus sont destinés prioritairement au marché de la Péninsule.

Tout en me laissant guider par les attachées de presse au sein du parc naturel de la Maremme et en y trouvant de l'agrément, je sais pertinemment que l'on me présente la vitrine idéale du groupe. Le petit lapin venu marauder de jolies tomates biologiques a mis la dernière touche à la délicieuse carte postale du jardin d'Éden au cœur duquel je me suis volontiers laissé promener. Contre cette preuve de bonne volonté, n'allais-je pas gagner une chance de rencontrer Antonio Petti à Nocera Superiore, là où nul petit lapin ne viendrait assurément batifoler ? Maintenant que j'avais croqué le fruit défendu, les choses sérieuses allaient pouvoir commencer.

II

Venturina Terme, Toscane

Comme dans toutes les usines de transformation de tomates, on est d'abord saisi par le bruit assourdissant, celui des sirènes hurlantes de lointaines machines. Une usine de transformation de tomates, c'est d'abord cette odeur caractéristique, celle de ces quantités phénoménales de fruits chauffés dans la chaleur de l'été. Le parfum paraît doux aux premiers effluves, mais peu à peu il empèse tout, se fait entêtant, au point de vous donner parfois des haut-le-cœur. L'odeur, les industriels se plaisent souvent à la comparer à celle d'une cuisine où vous feriez vous-même votre coulis... Bien que, en l'occurrence, il s'agirait plutôt de l'odeur qu'aurait votre cuisine si vous y faisiez cuire tout l'été, vingt-quatre heures sur vingt-quatre, des milliers de tonnes de tomates : cette saturation est écœurante.

Dans l'usine, une fois vêtu d'une blouse blanche et d'une charlotte, je suis escorté par l'un de ses directeurs. Il est vingt-deux heures. Durant la visite, je m'approche des ouvrières qui se tiennent debout pour trier des tomates face à un tapis roulant. Les fruits défilent à toute vitesse. Le travail de ces femmes consiste à ôter de la chaîne les fruits verts ou abîmés, ainsi que les éventuels bouts de bois, et plus rarement les petits animaux ou insectes qui peuvent avoir été charriés dans les bennes. Ici, les tomates récoltées l'ont été mécaniquement. Tous les étés, dans cette usine comme dans toutes les usines du monde transformant des tomates, des femmes et des hommes travaillent de nuit, ce qui permet aux industriels de transformer plus de tomates, d'augmenter l'amortissement des machines, d'exploiter au maximum les capacités des usines, et ainsi d'améliorer la compétitivité de l'entreprise en augmentant les profits.

À côté des ouvrières triant les tomates, j'aperçois des machines-outils toutes neuves : des sélecteurs optiques de tomates. J'ai déjà vu ce type de sélecteur, il m'a été présenté par son constructeur lors d'un salon professionnel, à Parme. Grâce à ses cellules photosensibles, il détecte tout ce qui ne ressemble pas à une tomate rouge. Capable de scanner un torrent continu de fruits, c'est-à-dire plusieurs dizaines de tomates à la seconde, la machine fonctionne à l'aide de pales de précision qui fouettent, en une infime fraction de seconde, les corps indésirables détectés durant leur progression sur la ligne. Toute tomate non rouge, tout corps étranger est immédiatement éliminé au bruit d'un claquement sec. « Cette technologie est formidable », m'a expliqué à Parme son fabricant. « Ces machines peuvent fonctionner sans répit, sans commettre la moindre erreur, vingt-quatre heures sur vingt-quatre. Son atout principal, c'est qu'elle permet de réduire les coûts en supprimant des postes. Avec cette machine, il n'y a pas de fatigue, pas d'inattention, pas de vacances, pas de congés payés. » Avec cette machine, l'entreprise peut faire plus de profits, avec encore moins de travailleurs.

« En Italie, le coût du travail est toujours plus cher », crie maintenant dans mon oreille, pour surmonter le bruit assourdissant qui règne dans l'usine, le responsable qui m'accompagne. « Ces machines sont vraiment efficaces. Bien sûr, elles coûtent plusieurs centaines de milliers d'euros à l'achat, mais elles sont rentabilisées en quelques années à peine. »

Ici aussi la chaîne de transformation des tomates commence par un tri et un lavage, après quoi les tomates sont pelées, épépinées, broyées et chauffées au cours d'un processus d'évaporation, avant d'être réduites en sauce ou en concentré, selon la ligne de production. Tout au long de ce processus, les tomates sont peu visibles. La plupart des opérations se déroulent à l'intérieur de machines ou de canalisations fumantes.

Lorsque l'on retrouve enfin le rouge des tomates, c'est au niveau de la machine de remplissage automatique des bouteilles de sauce. C'est un grand manège qui ne cesse de tourner sur lui-même, pour avaler des contenants de verre vides et, durant sa rotation, les remplir à toute vitesse de sauce tomate. Pleines, les bouteilles de sauce sont fermées, puis stérilisées. Elles défilent au-dessus de ma tête et autour de moi. En fin de ligne, j'aperçois une autre machine à la pointe de la technologie. Celle-ci radiographie les bouteilles pleines : une à une, elles sont analysées par la machine, capable de les contrôler et de les photographier en une fraction de seconde. Si une bouteille en verre présente un défaut, ou l'opercule une irrégularité, si la bouteille contient un corps étranger tel qu'un bout de verre ou une petite pierre, elle reçoit immédiatement un coup de pale pour être éliminée. Une alarme prévient un travailleur : il vient alors la prélever pour l'expertiser et remplir un rapport d'incident.

III

La visite achevée, je fais la rencontre de Pasquale Petti[1], patron des lieux et riche héritier de l'empire familial. Tandis que nous dînons ensemble sur une terrasse réservée aux dirigeants de l'entreprise qui a été aménagée sur le toit de l'usine, Pasquale Petti ne cesse de parler très rapidement. L'entrepreneur s'anime à l'excès. Assis en bout de table, il se lance dans un monologue et fulmine contre la grande distribution. « On se tue à faire de la qualité, avec un produit 100 % toscan, et tous ces types de la grande distribution ne pensent qu'aux prix. Ils cherchent à t'arracher le moindre centime. Ils n'en ont strictement rien à faire de nos efforts. Ici, je suis obligé de produire pour eux, sur mes lignes, leurs marques de distributeur, mais cela ne me donne aucune autonomie. Ils essaient de nous étrangler par leurs pratiques. Ils sont capables de te donner un ordre de production pour de grosses quantités de sauces alors même qu'ils n'ont pas encore réceptionné et payé la précédente. C'est pour cela que j'essaie de me battre pour la marque Petti, afin de sécuriser une production où l'on peut faire de meilleures marges et être plus fiers de ce que l'on produit. Mais, franchement, tu[2] veux

1. Le 26 juillet 2016.
2. En Italie, le tutoiement est beaucoup plus fréquent et rapide qu'en France.

savoir ce que la grande distribution te demande quand tu es un industriel ? Tu veux savoir ce qu'elle me demande, ce que je suis obligé de produire pour elle ? »

Surpris par sa volubilité autant que par sa colère, j'écoute Pasquale Petti et me contente de le relancer. Oui, je veux le savoir, que veut la grande distribution ? « Ce qu'ils veulent, c'est un produit le moins cher possible, qui ressemble à de la sauce tomate et qui ne tue pas les gens après qu'ils l'ont mangé. Je vais te montrer... »

L'entrepreneur se lève brusquement, part chercher une boîte de concentré de tomates, revient avec un grand saladier, une bouteille d'eau, une cuillère. Autour de la table, les cadres se sont figés. Ils observent la scène sans mot dire : le chef parle. Il reprend : « Maintenant je vais te montrer la différence entre une sauce tomate digne de ce nom et la sauce tomate de merde que commercialise la grande distribution sous ses marques de distributeur, ce qu'ils nous obligent à produire. Voilà... Tu prends du concentré de tomates, tu verses de l'eau, et tu mélanges. Tu mélanges, tu mélanges, tu mélanges... »

Pasquale Petti, toujours furieux, mélange frénétiquement des cuillérées de concentré de tomates à de l'eau. Le liquide s'uniformise peu à peu. Après avoir mélangé du concentré et beaucoup d'eau, il obtient une mixture uniformément rouge. « Voilà, nous venons d'obtenir un coulis de marque distributeur ! Maintenant, je vais ouvrir une sauce Petti, réalisée avec des tomates 100 % toscanes. Goûte, et dis-moi la différence. »

Il est vrai qu'il y a de quoi être fier. L'une des sauces tomate que produit Pasquale Petti en Toscane a véritablement le goût et la texture d'une sauce tomate.

IV

Le lendemain[1], les deux attachées de presse m'annoncent que Pasquale Petti ne pourra pas honorer le rendez-vous pour l'entretien filmé dont nous étions convenus. L'entrepreneur est trop affairé à « régler des problèmes », m'expliquent-elles. Mon collègue Xavier Deleu, qui m'accompagne pour tourner le film documentaire adapté de ce livre, n'a même plus le droit de travailler dans l'espace de l'entreprise. Tout est annulé subitement. Qu'a-t-il bien pu se passer ? Est-ce le petit numéro d'hier soir qui pousse les deux attachées de presse à annuler l'interview ? Peut-être y a-t-il réellement un problème dans l'usine ? Je négocie en vain, puis me plie à la décision. « Pasquale veut gérer tous les problèmes personnellement », me fait savoir l'une d'elles. Si les attachées de presse se sont efforcées de me présenter l'entreprise Petti sous son meilleur jour, elles sont désormais contraintes à nous faire attendre dans une salle de réunion, face à des produits témoins. Pourquoi ne pouvons-nous même pas filmer les camions de tomates en extérieur, pour tuer le

1. Le 27 juillet 2016.

temps ? Que se passe-t-il ? Aucune explication ne nous sera donnée.

Il ne me reste plus qu'à demander à serrer la main de Pasquale Petti pour lui dire au revoir, et ce, afin d'en profiter pour lui glisser un dernier mot, à propos de son père que j'aimerais rencontrer, dans le Sud, en Campanie. Pasquale Petti apparaît vingt minutes plus tard, encore plus énervé que la veille. Je le salue et lui rappelle mon projet : retracer l'histoire de l'industrie de la tomate, en rencontrant ses protagonistes, parmi lesquels son père. Afin de crédibiliser ma démarche, je cite le nom de grands industriels et d'influents traders italiens que j'ai déjà rencontrés. « Comment ! Qu'est-ce que j'apprends ! » s'emporte-t-il soudain. Il parle extrêmement fort, à quelques centimètres de mon visage. « Tu veux écrire l'histoire de la tomate ? Nous, on va te l'écrire. » En direction d'une attachée de presse : « Tu lui écris l'histoire de la tomate, d'accord ? On va te faire ça. Mais attention, tu ne dois pas mélanger ! Tu me cites des noms de gens qui travaillent avec la Chine, tu comprends ? Ces gens-là, s'il y a un enfant qui récolte dans un champ, ils n'en ont rien à foutre ! Cela n'a rien de comparable avec ce que je fais ici ! Car nous, ici, on fait de la sauce avec des tomates de Toscane. Si tu confonds avec ce que fait mon père, tu vas ruiner mon image, tu comprends ? »

Je jette un regard vers les attachées de presse : elles sont livides, médusées. Elles ont été très professionnelles et se sont donné beaucoup de mal pour faire leur travail, en m'emmenant au cœur du jardin d'Éden toscan où poussent de belles tomates italiennes biologiques... Leur travail soigné de communication est en train d'être pulvérisé, réduit à néant par leur patron survolté. Soudain, il attrape une boîte de conserve afin de poursuivre sa scène exubérante : « Tu vois cette boîte ? Tu la vois ? Mon père, dans une boîte comme ça, il peut mettre trois concentrés, de trois pays différents. Mon père, il achète énormément de tomates chinoises. Alors tu ne dois vraiment pas confondre ce que fait mon père et ce que je fais moi ! On va te l'écrire nous, l'histoire de la tomate, ne t'en fais pas. »

Chapitre 6

I

Port de Salerne, Campanie, Italie

Au-dessus de sa tête voltigent d'énormes briques colorées suspendues à des câbles. Il marche le long des quais. Tient dans sa main droite un plan indiquant les emplacements de dix conteneurs. Dépasse un cargo à quai. Vire à droite. S'accroupit au pied d'un amoncellement métallique brûlé par le soleil. Enfin, face à deux portes orange délavé, il saisit le plomb numéroté du conteneur, le lit, vérifie une dernière fois sa feuille, se redresse. À trente mètres derrière lui, un grand chariot porte-conteneurs passe, sirène hurlante. Comme l'indique sa chasuble, Emiliano Granato est un douanier italien. Il travaille au sein du service anti-fraude du port de Salerne. D'un geste, il donne son approbation et fait un pas en arrière. Un travailleur casqué du Salerno Container Terminal s'avance jusqu'aux portes du conteneur, brandit sa pince coupante, en écarte les bras, s'incline. Le bec saisit le scellé et le mord durement. Une petite capsule argentée voltige à mes pieds. L'homme déverrouille le conteneur dans une série de grincements. Une odeur de plastique et de bois fermenté s'échappe du caisson. Je m'approche. Le conteneur est plein de barils de triple concentré de tomates chinois.

Depuis la naissance de la filière chinoise, les ports de Naples et de Salerne sont deux destinations incontournables du concentré de tomates chinois. Le Sud de l'Italie fut longtemps sa première destination. Salerne est un petit port dont le trafic est inférieur à celui de Naples. Il y arrive néanmoins en moyenne un minimum de dix conteneurs de triple concentré chinois par jour, soit une moyenne de soixante-dix à quatre-vingts conteneurs par semaine environ, avec des pointes à 200 unités. En 2015, il a été déchargé sur les quais de Salerne près de 98 000 tonnes de triple concentré chinois. Le rythme des importations a-t-il baissé en 2016 ?

« Non, répond le douanier. Si on regarde au hasard, le 15 juin 2016 par exemple, il est arrivé de Chine 350 tonnes de concentré dans le port de Salerne. Le 16 juin, 487 tonnes. Puis un deuxième arrivage de 505 tonnes. Le 22 juin, 384 tonnes. Le 23 juin, 496 tonnes. Le 28 juin, 496 tonnes. Le 29 juin : deux arrivages. L'un de 387 tonnes de concentré, l'autre de 5 432 tonnes, soit environ 3,9 millions d'euros de marchandise. Et ça continue comme ça jusqu'à aujourd'hui. »

Historiquement, depuis l'essor de la filière chinoise à la fin des années 1990 et l'entrée de la Chine à l'Organisation mondiale du commerce en 2001, trois industriels napolitains de la tomate ont importé la quasi-totalité du triple concentré asiatique[1] entré en Europe par le port de Salerne : AR Industrie Alimentari (AR, pour « Antonino Russo », son fondateur et dirigeant, aujourd'hui décédé), basé à Angri, entre Salerne et Naples ; Antonio Petti fu Pasquale, de Nocera Inferiore, à quelques kilomètres à l'est d'Angri ; et Giaguaro, de Sarno, à quelques kilomètres au nord de Nocera. Toutes trois, sises au pied du Vésuve, à l'intérieur des terres, se situent à moins de quarante kilomètres des ports de Salerne et de Naples. Elles ont fourni ces dernières décennies l'essentiel des petites boîtes de concentré qui garnissent la majorité des supermarchés européens, ainsi qu'une partie de l'Afrique, du Proche-Orient ou du continent américain.

Mais le Sud de l'Italie n'exporte pas que des petites boîtes de concentré. Le *Mezzogiorno* occupe également une position de quasi-monopole mondial dans les exportations de conserves de tomates, qu'elles soient entières et pelées, ou coupées en dés. Sur le 1,6 million de tonnes de tomates en conserve échangé en 2015, l'Italie a réalisé 77 % des exportations mondiales (pour une valeur de

1. Information du Procureur de la République italienne de Nocera Inferiore, octobre 2010, in Mara Monti et Luca Ponzi, *Cibo criminale*, Rome, Newton Compton, 2013.

plus d'un milliard de dollars) ; l'Espagne 10 % ; les États-Unis, la Grèce, le Portugal et les Pays-Bas cumulés, moins de 10 %[1].

II

« Une partie du concentré chinois qui arrive dans le Sud de l'Italie va être transformée par les conserveries napolitaines pour fournir le marché européen, m'explique le douanier de Salerne. Mais une partie importante de ce concentré ne reste pas en Europe. Il est retravaillé, puis réexporté. Vers une destination finale qui peut être n'importe quel point sur les autres continents. Le concentré qui entre en Europe pour en ressortir plus tard est importé selon le régime douanier du *perfectionnement actif* », précise-t-il encore.

Au sein de l'Union européenne, il existe plusieurs cadres légaux permettant d'importer des marchandises. Le plus habituel, celui des importations ordinaires, concerne des produits qui ont vocation à être consommés en l'état dans l'un des pays membres. Ces importations sont soumises à des droits de douane lors de leur passage à la frontière extérieure de l'Union. Pour la tomate d'industrie, ces droits s'élèvent à 14,4 % de la valeur de la marchandise. Il existe aussi

1. « Architecture mondiale des échanges en 2015 », *Tomato News*, janvier 2017.

une deuxième manière d'importer du concentré de tomates dans l'UE, qui permet à l'importateur de ne pas acquitter de droits de douane : il s'agit d'importer du concentré « à titre temporaire », dit aussi « en transit temporaire » ou encore en « perfectionnement actif ». Conformément à la législation douanière européenne, « le régime du perfectionnement actif est destiné à favoriser l'activité économique des entreprises communautaires qui transforment ou réparent des marchandises tierces, destinées principalement à la réexportation ».

La logique de cette législation est simple : un industriel de l'Union européenne, par exemple fabricant de parfums, qui importe des matières premières en provenance d'Asie pour la confection de ses produits, est exempté de droits de douane sur les matières premières s'il exporte, en dehors de l'UE, les produits pour lesquels les matières premières ont été utilisées. Ce système douanier, s'il aide l'industriel en améliorant sa compétitivité, fragilise en revanche les éventuelles entreprises européennes qui pourraient produire les mêmes matières premières : leur concurrent asiatique se trouve désormais en mesure de venir les défier, sans barrière douanière, sur leur propre marché. Cette stratégie douanière n'est que l'application pratique d'une théorie économique qui est au fondement même du libre-échange : la théorie des avantages comparatifs – l'un des piliers théoriques du libéralisme, celui sur lequel repose la vision du monde favorable à la libre circulation des marchandises. Cette théorie formule l'hypothèse selon laquelle, dans un contexte de libre-échange des marchandises, si chaque pays se spécialise dans des productions pour lesquelles il dispose d'une bonne productivité, alors le commerce international permettra d'accroître les « richesses nationales » de ces mêmes pays. Il s'agit là de la grande promesse de la mondialisation, selon laquelle « tout le monde profite du libre-échange ». Hélas, dans l'industrie de la tomate, tout le monde n'en profite pas de la même manière.

Avec le « perfectionnement actif » du triple concentré importé en fût, il est donc aujourd'hui possible d'importer dans l'Union européenne des marchandises sans acquitter de droits de douane. Pour qu'une marchandise puisse être considérée par les douanes « en transit temporaire », il est cependant impératif que, une fois entrés au sein de l'UE, les produits en ressortent « transformés ». C'est ainsi que de grandes quantités de concentré chinois entrent au sein de l'espace Schengen *via* les ports de Campanie. Ce concentré chinois est acheminé jusqu'à des usines napolitaines où il est réhydraté, puis reconditionné, c'est-à-dire mis en boîte, des boîtes portant les couleurs de l'Italie. Ces boîtes tricolores sont ensuite réexportées hors de l'UE.

En 2015, selon les statistiques officielles des douanes italiennes, 90 000 tonnes de triple concentré étranger ont été importées en Italie au titre du régime de « perfectionnement actif ». Il a été retravaillé en Italie du Sud, puis a été réexporté vers l'Afrique et le Proche-Orient principalement. La même année, 107 000 tonnes de concentré ont été importées en Italie à des fins de réexportation, mais cette fois-ci au titre du régime douanier ordinaire : il s'agit du concentré étranger qui est entré en Italie et qui a ensuite été exporté vers des pays de l'UE, comme la France ou l'Allemagne.

Cette curieuse circulation du concentré de tomates chinois, non soumis aux droits de douane dans le cadre du « perfectionnement actif », où la « création de valeur » se fait dans le meilleur des cas en diluant du triple concentré étranger avec de l'eau et un peu de sel pour en faire une marchandise « produite en Italie », est un business très lucratif. Sur l'étiquette de la marchandise, la provenance réelle du concentré de tomates n'est jamais indiquée. Pis : elle feint le plus souvent une origine italienne. « Chine » n'y figure pas, tandis que le nom « Italie » est imprimé sur la boîte. Et ce, parce que la législation européenne ne l'impose pas.

III

Rome, Italie

Selon le premier syndicat italien de producteurs agricoles Coldiretti, une fois le concentré chinois arrivé sur le territoire de l'Union européenne au titre du régime douanier du perfectionnement actif, quelques entreprises napolitaines de reconditionnement se livrent à une fraude extrêmement simple à organiser. Elles détournent ce régime douanier à leur profit. Selon le syndicat, des industriels napolitains feraient entrer « en perfectionnement actif » du concentré chinois ; une partie des quantités importées à ce titre serait effectivement réexportée ; mais une autre resterait sur le territoire de l'Union européenne et y serait écoulée. Elle ne serait donc pas réexportée, ce qui constituerait une fraude caractérisée.

Quelques conserveries napolitaines, parmi les plus grandes d'Europe pour ce qui concerne les productions de boîtes de concentré de consommation courante qui se trouvent toutes dans la région, tricheraient donc, selon la Coldiretti, sur les quantités déclarées aux douanes. Non seulement dans le but de ne pas acquitter les 14,4 % de droits, mais également pour tricher sur la qualité : transformer du concentré chinois en concentré italien par un simple coup de baguette magique.

« Il n'y a rien qui ressemble plus à du concentré de tomates que du concentré de tomates », m'expose Lorenzo Bazzana, le spécialiste de la tomate d'industrie de la Coldiretti, dans son bureau romain encombré d'une formidable collection de boîtes de conserve. « Faites entrer des fûts de *triple* concentré de tomates d'un côté, puis faites sortir du *double* concentré de l'autre. Avant, vous avez du concentré de tomates dans de gros fûts aseptiques, après vous avez des quantités plus ou moins importantes de boîtes de conserve. D'abord, du triple concentré. Ensuite, ce que les conserveries prétendent être du double concentré… »

Lorenzo Bazzana a raison d'insister sur ce point : bien souvent, sur le marché mondial – qui embrasse aussi bien les marchés africains que les hypermarchés européens –, l'indication « double concentré de tomates » des boîtes ou des tubes est abusive. Il s'agit en réalité d'un triple concentré d'importation qui a été dilué avec de l'eau, et non de tomates réduites en usine de transformation pour en faire spécifiquement du double concentré.

Les défenseurs des industriels napolitains mis en cause contestent fermement les déclarations de la Coldiretti. Pour beaucoup d'industriels italiens du secteur, il s'agirait d'une polémique inutile : selon eux, les douanes du Sud de l'Italie font correctement leur travail et contrôlent scrupuleusement les quantités de concentré qui entrent et qui sortent ; les douanes veillent à ce que ces quantités soient équivalentes, quelle que soit la dilution, en faisant payer s'il le faut des droits de douane à une conserverie qui n'aurait pas réexpédié en dehors de l'Union européenne le volume de concentré chinois qu'elle aurait entré sous le régime du « perfectionnement actif ».

« En Europe, les contrôles douaniers sont insuffisants », rétorque Lorenzo Bazzana. Rares sont les conteneurs qui sont effectivement ouverts. Sur le principe, ce sont d'abord et avant tout les documents déclaratifs qui sont vérifiés. « Quant à cette histoire de "perfectionnement actif", poursuit le syndicaliste, la faute en revient à la législation européenne, qui considère qu'ajouter un peu d'eau et du sel dans du triple concentré de tomates chinois, cela s'appelle transformer le produit. De qui se moque-t-on ? Mon syndicat n'est pas d'accord avec cette définition. Nous considérons que les définitions des mots "transformation" et "double concentré" mériteraient d'être mises en débat. Pour nous, du double concentré, c'est du double concentré, ce n'est pas du triple dilué avec de l'eau ! »

La Coldiretti a organisé ces dernières années des manifestations contre la tomate chinoise et obtenu que, désormais, dans la Péninsule, il ne soit plus possible de commercialiser une *passata di pomodoro*[1] qui ne soit produite à partir de tomates cultivées en Italie. De même, suite à un décret du ministère italien de l'Agriculture, cette purée doit impérativement indiquer la provenance des tomates. Mais cette législation, pour l'heure, ne s'applique qu'en Italie. Il n'existe pas de réglementation similaire dans les autres pays membres, et encore dans les autres pays extérieurs, où il demeure possible de commercialiser, aux couleurs de l'Italie ou de la Provence, de la sauce tomate, du coulis ou de la *passata* produits à partir de concentré chinois. Ce déséquilibre entre les normes permet à certains industriels italiens de continuer à produire, en toute légalité, des purées de tomates à base de concentré étranger et d'exploiter l'image de marque de l'Italie. On trouve aujourd'hui commercialisés dans tous les supermarchés européens des sauces ou

1. Une purée de tomates, ou coulis, bien que ce dernier soit moins dense que la *passata* italienne.

des coulis « italiens » qui peuvent ne contenir aucune tomate italienne. Des produits qu'ils n'ont plus le droit de vendre dans leur propre pays.

« Un deuxième problème, poursuit Lorenzo Bazzana, réside dans le fait que si aujourd'hui, en Italie, un port de commerce augmente ses contrôles, il devient moins intéressant pour certains acteurs économiques d'y travailler... Car une compétition s'instaure de fait entre les ports pour le trafic et le volume. Les ports où les contrôles sont le moins nombreux sont privilégiés par les industriels. Si un port renforce ses contrôles, il devient moins "compétitif". Les flux de marchandises se déversent alors dans d'autres ports, plus laxistes... »

Selon le classement 2016 de l'ONG Transparency International, l'Italie est le deuxième pays le plus corrompu d'Europe, derrière la Bulgarie, et devant la Roumanie.

IV

Port de Salerne, Campanie

« Nous n'effectuons que des contrôles de type sanitaire sur le concentré chinois », me déclare le douanier de l'anti-fraude du port de Salerne, Emiliano Granato. « Le concentré de tomates n'est pas une marchandise que nous considérons comme à risque. Il n'est donc pas beaucoup contrôlé. »

Par « contrôle sanitaire », il faut comprendre que les douanes italiennes exigent que le concentré soit propre à la consommation humaine. « Lorsqu'elle ne correspond pas aux standards d'hygiène, la marchandise n'est pas détruite, ajoute le douanier. En règle générale, nous la renvoyons en Chine. »

Non conforme du point de vue de l'hygiène et non détruite... la marchandise est renvoyée à l'exportateur, qui pourra éventuellement la réexpédier ailleurs, vers un autre port du globe terrestre, moins regardant. En Afrique par exemple. La pratique n'y est malheureusement pas exceptionnelle, des acteurs de la tomate d'industrie ayant la fâcheuse tendance, comme d'autres de l'économie mondiale, à tenir ce continent pour une grande poubelle. Car l'Afrique n'éponge pas seulement les produits rejetés par la douane italienne. Selon Sophie Colvine, secrétaire générale du Conseil mondial de la tomate d'industrie (WPTC) fédérant la filière mondiale, « quand certains acteurs de la filière ont des stocks trop importants de concentré et que ceux-ci commencent à se faire vieux, certains industriels peu scrupuleux les écoulent en Afrique ».

Si certains transformateurs peuvent avoir des stocks trop importants, c'est parce que le cours du baril de concentré de tomates, comme toute matière première, évolue en fonction des besoins du marché et de la disponibilité du produit. L'or rouge n'est pas coté au Chicago Board of Trade, la Bourse mondiale de l'agriculture. Le négoce se fait de gré à gré. Le prix du baril peut varier du simple au double selon la qualité. Plus un baril de concentré est vieux, plus son détenteur a intérêt à le déstocker, plus son prix sera bas. Le marché étant globalisé, les normes sanitaires n'étant pas les mêmes d'un pays à un autre, et les transformateurs chinois ayant la mauvaise réputation de mentir, du moins de ne jamais déclarer les quantités exactes de concentré qu'ils produisent et qu'ils détiennent, la spéculation mondiale va bon train et engendre parfois des stocks excédentaires.

S'instaure alors un cycle pernicieux. Le concentré excédentaire vieillit, il est cédé à bas coût. Des acteurs économiques prennent l'habitude d'acheter ce type de marchandise, pour payer le moins cher possible le concentré. Et ils trouvent des débouchés. Ils en viennent à rechercher des prix identiques : ceux de vieux concentrés. Un véritable marché du « vieux » concentré chinois se structure, dont la destination principale est l'Afrique. Impropres à la consommation, vieux ou périmés : la presse africaine relaie les communiqués des douanes concernant les saisies de concentrés pourris lorsque les opérations sont spectaculaires. Ainsi, le 21 septembre 2014, les services des douanes algériennes saisissaient dans le port d'Alger quarante conteneurs remplis de concentré chinois périmé[1] – cette année-là, l'Algérie importait pour plus de 20 millions de

1. « Port d'Alger : saisie de 40 containers de concentré de tomates périmé, importés de Chine », www.reflexiondz.net, 21 septembre 2014.

dollars de concentré chinois[1]. Le 16 mars 2016, c'étaient 30 000 boîtes de tomates en conserve, impropres à la consommation, qui étaient saisies en Tunisie[2], l'un des pays du monde où l'on consomme le plus de concentré par habitant. Bien qu'elle soit un pays producteur de tomates d'industrie, la Tunisie a importé pour plus de 2 millions de dollars de tomates transformées en 2014[3]. Le 24 avril 2015, la Garde nationale tunisienne avait saisi dans la région d'Allouche 400 tonnes de conserves de concentré périmé, produit à partir d'un concentré avarié[4]. Le 25 novembre 2013, plus d'un million de boîtes périmées étaient en attente de destruction à Nabeul, en Tunisie[5]. En 2011, les autorités sanitaires du Nigeria fermaient une usine basée à Ikeja, dans l'État de Lagos, après y avoir découvert 2 609 barils de concentré de tomates d'importation, tous avariés : l'usine reconditionnait manifestement cette marchandise pour la commercialiser[6]. La même année,

---

1. Observatoire de la complexité économique, www.atlas.media.mit.edu.

2. « Beja : saisie de 30 000 boîtes de tomates en conserve périmées », www.jawharafm.net, 17 mars 2016.

3. Observatoire de la complexité économique, www.atlas.media.mit.edu.

4. « Saisie de 400 tonnes de concentré de tomates périmé », www.jawharafm.net, 24 avril 2015.

5. « Saisie de plus d'un million de boîtes de conserve de tomates impropres à la consommation », www.tuniscope.com, 25 novembre 2013.

6. « NAFDAC Shut Company For Repacking Expired Tomatoes », www.pmnewsnigeria.com, 22 mars 2011.

le Nigeria importait pour 91,4 millions de dollars de concentré chinois[1]. En 2008, toujours au Nigeria, une usine illégale de conserves de concentré produisant des boîtes à partir de fûts d'importation était démantelée, et les deux trafiquants à la tête de l'usine arrêtés[2] ; 20 000 boîtes furent saisies. Le concentré pourri, présentant un faux numéro d'enregistrement et une fausse date de péremption selon l'unité spéciale de lutte contre la contrefaçon du pays, était dangereux pour la santé et aurait pu entraîner la mort s'il avait été consommé.

Les trafics de concentré impropre à la consommation humaine s'étendent aussi hors de l'Afrique. En février 2011, des milliers de tonnes de concentré avarié étaient saisies à Bishkek, au Kirghizistan[3]. Les seize wagons de marchandises contenaient du concentré chinois. Périmé depuis deux ans, ce lot avait d'abord été acheté par un distributeur des Émirats arabes unis qui l'avait ensuite revendu à un distributeur kirghize.

Sur le marché mondial, un lot de concentré non conforme aux normes sanitaires en vigueur dans un pays peut toujours être bradé ailleurs, voyager vers un pays plus accueillant, là où la réglementation est plus souple ou peut plus facilement

1. Observatoire de la complexité économique, www.atlas.media.mit.edu.
2. « LASG Discovers Illegal Tomato Paste Recanning Factory, Arrests 2 », www.tundefashola.com, 4 décembre 2008.
3. « Kyrgyzstan returns tons of expired tomato paste to China », www.rferl.org, 11 février 2011.

être contournée, en l'absence de contrôles ou par la corruption. Ces lots pourris, d'abord bradés, seront « retravaillés » en usine à moindres frais et écoulés.

Tous les professionnels de la filière sont unanimes à propos de l'Afrique : le marché n'y est qu'une question de prix, la qualité n'y est pas un critère. Le concentré le moins cher y est le plus recherché et, tôt ou tard, un lot de piètre qualité y trouve son acheteur... C'est essentiellement en Afrique que s'écoule ce que l'on nomme dans la filière la *black ink* : l'« encre noire », la pire qualité qui soit, mais surtout la pâte la moins chère du marché. Un concentré si vieux, si oxydé et si pourri qu'il a perdu sa couleur rouge. Il est, comme son nom l'indique, de couleur noire. Pour écouler des fûts d'« encre noire », certains choisissent parfois de mélanger le concentré pourri à des lots plus colorés, de meilleure qualité, mais cette pratique est rare. Car la méthode la plus courante est de le couper avec des ingrédients moins chers que le concentré de tomates, comme l'amidon ou la fibre de soja, et d'y ajouter ensuite des colorants rouges afin de lui rendre un semblant de fraîcheur...

V

En Italie, la criminalité dans le secteur agroalimentaire a pris une telle ampleur que les institutions de la Péninsule la désigne d'un néologisme : *agromafia*. Avec la saturation des activités « traditionnelles » des mafias et sous l'effet du ralentissement économique engendré par la crise de 2008, les affaires d'*agromafia* n'ont cessé de se multiplier depuis une dizaine d'années. La Direction nationale antimafia a estimé le chiffre d'affaires des activités mafieuses dans l'agriculture italienne à 12,5 milliards d'euros pour l'année 2011, soit 5,6 % du produit annuel de la criminalité en Italie. Un chiffre passé à 15,4 milliards d'euros en 2014[1]. La même année, à titre de comparaison, le groupe Danone réalisait un chiffre d'affaires de 21,14 milliards d'euros.

Les *boss* sont désormais présents dans toutes les branches de l'agrobusiness italien. De la mozzarelle à la charcuterie, aucun produit typiquement italien n'échappe à l'influence des clans. La fluidité de la circulation des marchandises propre à la mondialisation, le prestige dont jouissent les produits « *Made in Italy* », les mutations structurelles propres à l'agrobusiness ont largement contribué à l'essor de l'*agromafia*. De la Commission parlementaire antimafia aux syndicats italiens, tous soulignent et s'inquiètent de l'influence croissante de la criminalité organisée dans l'industrie agro-alimentaire.

La logique est simple. Les capitaux accumulés résultant des activités criminelles sur des territoires contrôlés par la Camorra (Campanie), Cosa nostra (Sicile), la 'Ndrangheta (Calabre) ou la Sacra

---

1. « Agromafie e Caporalato. Terzo rapporto », FLAI-CGIL, Ediesse, 2016.

Corona Unita (Pouilles) ont besoin de débouchés dans l'économie « blanche », afin de circuler, d'atteindre de nouveaux territoires, de générer de nouveaux profits. Quoi de plus banal, pour recycler de l'argent sale, que de belles bouteilles d'huile d'olive ou de jolies boîtes de conserve de tomates « *Made in Italy* » ? Ces deux produits emblématiques sont devenus des marchandises de prédilection des mafias. Une fois les investissements réalisés et l'entreprise agro-mafieuse opérationnelle, la firme se connecte à l'économie « légale » : l'entreprise devient alors un acteur (presque) comme un autre du marché. Ses marchandises empruntent les canaux de l'économie mondialisée. L'entreprise agro-mafieuse se développe, elle investit comme toute entreprise, parfois elle rachète des marques prestigieuses. Elle s'allie à d'autres sociétés, ou peut compter sur des acteurs économiques connivents. Par exemple des pizzerias, à l'apparence banale pour leurs clients, mais qui sont en réalité d'autres sociétés détenues par la même organisation criminelle ou liées à elle, et qui, quel que soit le prix pratiqué, se fourniront en sauce tomate, en huile, en farine ou en mozzarelle auprès de l'industrie agro-mafieuse. *In fine*, de la pizzeria à la sandwicherie, des rayonnages de la grande distribution aux étals des marchés africains, les produits agro-mafieux parviennent jusqu'aux assiettes des consommateurs du monde entier. Selon un rapport réalisé par le principal syndicat de producteurs italiens, la Coldiretti, en collaboration avec le think tank

Eurispes, cinq mille restaurants italiens seraient liés à des groupes mafieux.

Il fait bien longtemps que les mafias ne se contentent plus du simple trafic de drogue, du racket ou de l'usure. L'entrepreneuriat criminel italien maîtrise aujourd'hui les circuits de l'agro-alimentaire globalisé, produit des marchandises et approvisionne le marché global. Les risques courus par les criminels sévissant dans le secteur agro-alimentaire sont bien moins élevés que dans d'autres types de trafics, comme celui de la drogue par exemple. Pour la criminalité organisée, un faux étiquetage de conserves de tomates ou de bouteilles d'huile d'olive peut rapporter autant qu'un trafic de cocaïne. Mais, si le réseau tombe, les peines seront beaucoup moins lourdes.

Le résultat ? Lorsque les juges italiens antimafia confisquent des biens aux clans, 23 % sont des terres agricoles. Sur un total de 12 181 biens immobiliers confisqués aux mafias en 2013, la Coldiretti a souligné que 2 919 étaient des terres agricoles. Dans un contexte économique où les produits alimentaires vendus cher dans les supermarchés ne profitent plus aux producteurs qui gagnent toujours moins d'argent sur leurs récoltes et où les intermédiaires gagnent toujours plus, il suffit aux membres des mafias italiennes de contrôler des secteurs clés d'une filière, comme ceux de la transformation et du conditionnement, pour pouvoir blanchir des capitaux considérables, à une cadence industrielle.

La grande distribution cherche des prix bas ? Qu'à cela ne tienne ! Les clans, dissimulés derrière les façades d'entreprises parfaitement insérées dans leur secteur, ayant les codes des industriels, peuvent lui en faire, et ils seront imbattables ! Il suffit à la criminalité organisée de sous-évaluer légèrement le prix de revient d'un produit pour blanchir (très) avantageusement de l'argent sale ; et tous les moyens lui sont permis pour atteindre ce prix idéal, qui permet de céder des volumes importants à un acheteur : exploiter une main-d'œuvre dans l'illégalité ou contrefaire le produit. Les marchés seront raflés et l'acteur mafieux pourra faire tourner ses usines pour générer de l'activité économique. En contrôlant les maillons clés de la production, en vendant des marchandises à des prix extrêmement bas, en trichant sur le droit du travail, la fiscalité, les étiquetages ou les appellations, les clans parviennent à brasser des millions d'euros… et certaines enseignes de la grande distribution finissent par proposer à leurs clients des prix fracassants.

En 2014, la garde des finances italienne a saisi 14 000 tonnes de produits alimentaires qui faisaient l'objet d'une fraude commerciale[1]. L'année suivante, la police douanière et financière italienne a fait fermer plus d'un millier de structures qui opéraient au sein du secteur agro-alimentaire italien.

---

1. « Agromafie, business da 60 miliardi. Orlando e Martina : accelerare i due del contro reati nella filiera e caporalato », *Il Sole 24 Ore*, 17 février 2016.

Quelle est la marchandise du Sud de l'Italie la plus célèbre au monde ? Quel est le produit capable d'atteindre tous les continents de la planète et qui transitait déjà massivement de l'Italie vers les États-Unis à la fin du XIXe siècle ? Quel est cet élément de décor que l'on retrouve dans la quasi-totalité des films ayant pour thème la mafia italo-américaine ?

VI

La conserve de tomates. L'Italie exporte 60 % de sa production de tomates d'industrie. Elle a produit en 2016 plus de 5 millions de tonnes de tomates pour sa filière industrielle, dont 44 % ont été transformées en tomates concassées et 21 % en tomates pelées[1], une production typique du Sud du pays ; 10 % seulement des tomates italiennes ont été transformées en concentré de tomates, essentiellement dans le Nord du pays, qui est également spécialisé dans la production de purées et de sauces. Dans le Sud, les activités se divisent entre « retransformation » du concentré d'importation, notamment chinois, et confection de conserves à partir des tomates récoltées localement : les célèbres boîtes de tomates pelées ou concassées. Le Sud a développé une double activité, mise en conserve de tomates pelées entières

1. Associazione Nazionale Industriali Conserve Alimentari Vegetali, statistiques 2016.

et retransformation du concentré, dont l'existence tient d'une raison historique : la première transformation générant des déchets de tomates et des tomates abîmées, des industriels peu scrupuleux avaient jadis décidé de transformer cette matière, ainsi que les surplus, en pâte de tomate de très médiocre qualité[1]. Si les déchets de tomate sont désormais exclus et n'entrent normalement plus dans la fabrication d'un concentré de tomates, ils ont, par le passé, permis à des sociétés italiennes de produire une pâte de tomate très bas de gamme destinée aux marchés des pays les plus pauvres. De nos jours, les usines napolitaines qui mettent en boîte les tomates pelées italiennes, à la saison de la récolte, durant l'été, trouvent une activité, du moins pour certaines d'entre elles, dans la transformation du concentré d'importation le reste de l'année. C'est ainsi qu'elles exportent tout l'hiver des petites boîtes « produites en Italie ». La Campanie est le centre industriel de la « retransformation » du concentré étranger.

VII

Décédé en 2014 à l'âge de quatre-vingt-trois ans, Antonino Russo, surnommé le « roi de la tomate », a posé la première pierre de son empire en 1962 en créant La Gotica, entreprise de transformation de tomates. Ce Napolitain, dont la carrière est

1. Entretien avec le trader Silvestro Pieracci, 25 juillet 2016.

entachée par une mention dans un rapport de la Commission parlementaire antimafia de 1995[1], puis par une condamnation en 2013 pour trafic de faux concentré italien, vrai concentré 100 % chinois, a multiplié tout au long des années 1970 et 1980 les acquisitions et les créations d'entreprises dans le secteur de la tomate d'industrie, et plus largement dans les conserves de fruits et légumes. À l'aube des années 2000, Antonino Russo les a réunies au sein d'un grand groupe industriel : AR Industrie Alimentari. Ce géant de l'or rouge a réalisé officiellement jusqu'à 300 millions d'euros de chiffre d'affaires en contrôlant 20 % de la production italienne de conserves de tomates.

La ville de Foggia, dans les Pouilles, est la capitale mondiale de la tomate pelée. L'un de ses ex-préfets, alors qu'il était auditionné par la Commission parlementaire antimafia, a affirmé avoir assisté en août 1993 à une réunion à laquelle participaient des producteurs de tomates, des négociants, ainsi qu'Antonino Russo, qui représentait alors une quarantaine d'industriels de la tomate du Sud de l'Italie. À l'époque, les producteurs faisaient l'objet de ce que la Commission antimafia qualifia de « racket de la tomate » : comme de nombreux autres acteurs économiques des Pouilles, ils devaient alors payer le *pizzo* et faisaient régulièrement l'objet de menaces,

1. « Commissione parlamentare di inchiesta sul fenomeno delle mafie e sulle altre associazioni criminali », 17 octobre 1995.

d'intimidations ou d'attaques violentes. Durant la réunion d'août 1993, Russo avait demandé aux producteurs que le poids des tomates transportées par chaque camion baisse de 20 %, qu'il passe de 264 à 220 quintaux et que la tare des balances soit surestimée. Sa proposition avait déclenché des protestations parmi les producteurs de tomates. Leur porte-parole avait fait connaître son désaccord durant la réunion. Le lendemain, il était menacé, et son cousin, portant le même nom que lui, était blessé. Pour la Commission parlementaire antimafia, le racket séculaire pratiqué par la criminalité organisée sur les producteurs de tomates, après une longue série d'attaques violentes dans les années 1980, s'était soudain évanoui, faisant place à une miraculeuse « paix mafieuse » à partir de 1994... Pourquoi Antonino Russo avait-il demandé aux producteurs de renchérir artificiellement le coût du transport de « ses » tomates, celles qu'il achetait pour ses usines ? Le roi de la tomate avait ses raisons...

Maillon stratégique de la filière, le transport de tomates entre les champs et les usines d'Italie du Sud est de longue date un secteur d'activité des organisations criminelles[1]. En juin 2016, à Foggia, la police a arrêté Roberto Sinesi[2] ainsi que cinq autres personnes pour extorsion et tentative d'extorsion de fonds sur les chauffeurs de

1. Entretien avec Roberto Iovino, responsable « Légalité » du syndicat FLAI-CGIL.
2. « Foggia, pizzo per non danneggiare i camion carichi di pomodori : sei arresti », *La Repubblica*, 17 juin 2016.

camions de tomates fournissant la plus grande usine de conserves de tomates d'Europe : l'usine Princes de Foggia. Fondée par Antonino Russo, l'usine, qui a appartenu à AR Industrie Alimentari, a été revendue à la Mitsubishi Corporation en 2012. Le groupe de Roberto Sinesi était suspecté d'être actif depuis les années 1990[1]. Un mois après son arrestation, en juillet 2016, le *boss* était libéré pour « vice de procédure »[2]. Mais en septembre 2016, pris en embuscade par des tueurs alors qu'il se trouvait au volant de son automobile en compagnie d'enfants, il reçut une vingtaine de balles, dont l'une, logée à quelques millimètres de son cœur. Grièvement blessé, opéré, finalement miraculé, Roberto Sinesi était à nouveau arrêté quelques jours plus tard par l'Antimafia, toujours avec le même motif d'inculpation : extorsion de fonds liée au « racket de la tomate ». Il n'a pas été jugé à ce jour.

VIII

Avant de tirer sa révérence en cédant 51 % des parts de son entreprise à la firme britannique Princes, détenue par Mitsubishi, et de laisser les

1. « Mafia del pomodoro, pizzo alla Princes. Decapitato clan Sinesi : manette per "lo zio" Roberto », www.immediato.net, 17 juin 2016.
2. « Racket del pomodoro : scarcerati tutti gli indagati, anche il boss Sinesi », www.ilmattinodifoggia.it, 8 juillet 2016.

49 % restants à sa succession, Antonino Russo fut condamné à quatre mois de prison en 2013 pour trafic de faux concentré italien[1]. L'entreprise du roi de la tomate fournissait alors les plus grandes enseignes européennes, dont Carrefour et la grande chaîne de distribution britannique Asda, propriété du géant Walmart. « 57 696 boîtes de 200 grammes de double concentré, de marque Carrefour, légendée en langue française et langue néerlandaise, portant le logo de Carrefour de couleur bleue sur fond blanc, ainsi que les mots "Fabriqué en Italie par AR SPA" », indique le document de saisie du procureur Roberto Lenza[2]... des boîtes contenant du concentré chinois, commercialisées dans toute l'Europe, et qui déclaraient toutes être « *Produced in Italy* ».

Lors de son procès, Antonino Russo n'a pas nié avoir utilisé du concentré chinois pour remplir ses petites boîtes rouges. Bien au contraire. Il affirma à la barre que son activité était parfaitement légale en Europe : « Je suis moi-même allé en Chine plusieurs fois et je peux vous assurer que la tomate chinoise est aussi bonne que la tomate italienne », a-t-il lancé à l'audience. « Nous expédions 90 % de notre production chinoise à l'étranger, nous ne vendons pas ce concentré en Italie[3] », a-t-il expliqué à la cour. Durant le pro-

1. « I pomodori "made in Italy" sono cinesi. Accusato di truffa il produttore italiano », *La Repubblica*, 28 février 2013.
2. Mara Monti et Luca Ponzi, *Cibo criminale, op. cit*.
3. « Pulp fiction : Asda's "made in Italy" tomato puree hails from China », *The Guardian*, 27 février 2013.

cès, les enseignes de la grande distribution européenne qui se fournissaient auprès du Napolitain ne furent pas inquiétées. Rien ne pouvait leur être reproché. Pour le procureur Roberto Lenza, « la faute revient à la législation européenne, beaucoup trop laxiste. Les produits italiens sont très appréciés à l'étranger. Mais pour que les étiquettes aient un sens, encore faudrait-il que les normes européennes d'étiquetage soient beaucoup, beaucoup plus sévères ».

IX

« Mis en boîte en Italie », lit-on aujourd'hui, en sept langues, sur les boîtes de concentré de la marque Giaguaro dont l'usine est installée à Sarno, à une quarantaine de kilomètres de Naples. Les boîtes du géant Giaguaro sont commercialisées dans la plupart des supermarchés européens. De Londres à Madrid, en passant par Paris et Berlin, il est possible de se procurer pour quelques dizaines de centimes d'euro ces petites boîtes au code couleur vert-blanc-rouge, les couleurs de l'Italie, dont le contenant est assurément italien. Après la condamnation d'Antonino Russo, c'est vers Giaguaro, le « Jaguar », que se sont tournées les enseignes de la grande distribution, afin de faire produire des conserves de concentré n'indiquant pas la provenance des tomates.

En 2005, la Guardia di Finanza, police douanière et financière italienne, avait découvert l'existence d'un dépôt de conserves de tomates de Giaguaro lors d'une opération de saisie de deux camions, chargés de douze tonnes de triple concentré suspect[1], sur la route entre Montalto di Castro (dans le Latium) et Sarno (en Campanie), siège légal de l'entreprise. Arpentant le dépôt de Montalto di Castro, la police y avait découvert un million de boîtes de conserve de 500 grammes : l'équivalent de 500 tonnes de marchandises. Ces boîtes pleines ne comportaient ni étiquette, ni date de péremption. À l'extérieur du dépôt se trouvaient également 1 500 barils de concentré de tomates de 220 kilogrammes, soit plus de 310 tonnes de marchandises. Le concentré grouillait de larves et de vers. Les analyses que fit réaliser le procureur de Civitavecchia attestèrent que ce concentré pourri était impropre à la consommation et dangereux pour la santé. Selon les enquêteurs, la marchandise était d'origine chinoise[2]. Giaguaro avait réagi en déclarant que c'était là de vieux stocks destinés à la destruction[3]. Giaguaro a été acquittée dans cette affaire par la justice italienne.

---

1. « I precedenti », *La Città di Salerno*, 31 décembre 2005.
2. « Pomodoro con insetti e vermi », *La Città di Salerno*, 18 novembre 2005.
3. Marc Dana et Guillaume Le Goff, « Le marché de la sauce tomate italienne, juteux et parfois frauduleux. Le concentré italien, beaucoup consommé en France, a fait l'objet de fraude auparavant. France 3 a suivi la filière, pas toujours "made in Italy" », France 3, 14 avril 2014, http://www.

Un mois plus tard, la Guardia di Finanza procédait à une deuxième saisie, à Sarno cette fois : 2 460 barils de concentré appartenant à Giaguaro. Puis, en 2007, dans le port de Salerne, les *carabinieri* procédaient à la saisie de deux conteneurs suspects, dont la marchandise était destinée à Giaguaro[1] : en provenance de Roumanie, ils contenaient 45 tonnes de concentré chinois. Si ces conteneurs ont été saisis par les carabiniers, c'est parce qu'ils y ont trouvé des « déchets agro-alimentaires » non déclarés. Pourquoi la Giaguaro a-t-elle fait transiter des déchets agro-alimentaires, du concentré de tomates chinois passé par la Roumanie, à destination de ses conserveries italiennes ? Le mystère reste entier.

En 2008, le nom de Giaguaro était une nouvelle fois cité dans une enquête judiciaire. Les policiers italiens enquêtaient alors sur les pratiques d'un laboratoire d'analyse accrédité, Ecoscreening, basé à Sant'Egidio del Monte Albino, dans la province de Salerne[2]. Le « laboratoire » était spécialisé dans l'étude des déchets. Les enquêteurs révélèrent certaines pratiques peu scientifiques de ce laboratoire : il distribuait de fausses certifications à plusieurs entreprises, afin de leur permettre d'enfouir des déchets industriels toxiques ; pour cela, les analyses

---

francetvinfo.fr/economie/commerce/video-le-grand-trafic-de-la-tomate-chinoise-estampillee-made-in-italy-touche-toute-l-europe_577077.html

1. Article sans titre, *La Città di Salerno*, 20 juin 2007.

2. « Nel Salernitano la centrale delle analisi truccate : scorie nocive "trasformate" in concime. Perquisizioni in nove aziende », *Il Mattino*, 15 juillet 2008.

étaient truquées, les déchets soumis à analyse devenaient légalement admissibles à des enfouissements comme « compost ». Boues toxiques issues du traitement des eaux usées, déchets liquides industriels contaminés, contenus de fosses septiques[1]... Le laboratoire de la province de Salerne pouvait fournir de fausses analyses à la demande. C'est en plaçant ce laboratoire sur écoute que les enquêteurs découvrirent que Giaguaro était l'un de ses clients et qu'il certifiait également, avec de fausses analyses, du concentré chinois et des conserves « *Made in Italy* ». Dans les relevés d'écoute, le 21 août 2007, à 12 h 34, en pleine campagne de récolte de tomates, « Luisa », de la Giaguaro, téléphone à l'un des employés du « laboratoire » pour lui dicter les données qui doivent être indiquées sur les certificats d'analyse. Le premier certificat concerne des tomates italiennes, celles que Giaguaro met en boîte et pour lesquelles « Luisa » demande une analyse indiquant qu'elles ne contiennent pas de métaux lourds. La seconde analyse concerne des conserves de concentré chinois[2] : « Tu me fais toute l'analyse des échantillons, avec les pesticides et tous les paramètres. Et sur l'un d'entre eux, tu m'en fais une vraie, dit Luisa. Oui, oui, d'accord », lui réplique son interlocuteur[3].

---

1. « Certificati falsi, ora tremano gli industriali », *La Città di Salerno*, 16 juillet 2008.
2. « Il controllo sui pomodori cinesi ? Uno me lo fai vero », *Il Mattino*, 15 juillet 2008.
3. « Le intercettazioni », *La Città di Salerno*, 16 juillet 2008 ; « Intercettazioni : sequestrato laboratorio a S. Egidio », NoceraTV.it, 16 juillet 2008.

Tomates italiennes provenant de champs contaminés, tomates chinoises impropres à la consommation humaine : le laboratoire véreux était en mesure de certifier des stocks de marchandises par de faux documents. Giaguaro affirme ne pas avoir été condamnée dans cette affaire.

Ces épisodes n'ont pas entravé la croissance de l'entreprise Giaguaro, qui a racheté en 2015 une vieille marque napolitaine : Vitale. L'entreprise revendique aujourd'hui sa présence dans plus de soixante pays, participe aux plus grands salons internationaux de l'agro-industrie et fournit en conserves de nombreux géants de la grande distribution européenne.

X

La chronique judiciaire des affaires industrielles de la tomate s'est poursuivie le 29 octobre 2010 à Salerne, en Campanie, lorsqu'un raid de *carabinieri* a bloqué dix-huit conteneurs qui étaient sur le point d'être expédiés aux États-Unis : la cargaison contenait 300 000 conserves de fausses tomates pelées « San Marzano »[1], une appellation d'origine protégée (AOP). Lors de la perquisition menée dans l'usine où avait été organisé le faux étiquetage – les conserves, de marque Antonio Amato, contenaient en réalité de vulgaires

1. « Falsi pomodori dop Condannato l'ex ad del pastificio, *La Città di Salerno*, 29 novembre 2012.

tomates pelées –, les enquêteurs avaient trouvé des milliers de fausses étiquettes, ainsi que les factures correspondant à la marchandise chargée dans les dix-huit conteneurs, aussitôt placés sous séquestre : le montant de la fraude s'élevait à plus de 400 000 euros. Cette saisie a abouti à la poursuite de Walter Russo, fils du « roi de la tomate », et d'Antonino Amato, ancien dirigeant de l'entreprise du même nom, condamné pour ce faux étiquetage à un an et quatre mois de prison.

Plus récemment, en février 2016, c'était cette fois à la fille d'Antonino Russo, Rossella Russo – dite « Deborah » –, d'être condamnée à huit mois de réclusion pour fraude commerciale en tant que représentante légale de la société Sanpaolina[1], une entreprise accusée elle aussi d'avoir apposé l'appellation « San Marzano » sur des tomates qui n'en étaient pas. « Ma cliente a toujours travaillé pour la défense de l'excellence du territoire », a pourtant plaidé son avocat.

Aujourd'hui, comment les grands distributeurs européens pourraient-ils ignorer la réputation sulfureuse de plusieurs industriels napolitains dont ils commercialisent les tomates transformées ? Leurs pratiques, souvent anciennes, sont connues et documentées par les autorités judiciaires italiennes. Plusieurs affaires ont été jugées. Ces industriels peuvent remplir de concentrés de tomates non italiens des boîtes de conserve portant leur marque et arborant les couleurs de l'Italie.

1. « Falso San Marzano venduto in USA, condannata imprenditrice di Angri », *Corriere del Mezzogiorno*, 16 février 2016.

Dans la filière, importer de la pâte de concentré non italienne dans de grands fûts bleus pour la réhydrater, puis la conditionner au pied du Vésuve dans de petites boîtes de conserve, est devenu une chose banale. C'est ainsi que les industriels napolitains fournissent aujourd'hui la quasi-totalité du concentré de tomates premier prix commercialisé au sein de l'Union européenne. Ces boîtes de conserve, ou ces tubes premier prix, n'indiquent le plus souvent aucune origine. Il ne s'agit pas d'une omission, mais plutôt d'une quasi-certification que ce produit est un concentré d'importation.

Les meilleures qualités de concentré de tomates n'ont pas besoin de taire leur origine. Sur le marché mondial, les variations de prix entre des concentrés de bonne ou de mauvaise qualité peuvent aller du simple au double : de 450 à 900 euros la tonne.

« La tomate est peut-être le seul aliment-condiment véritablement universel, pour toutes les époques, pour tous les climats, pour tous les pays. »

Fédération nationale fasciste
des conserves alimentaires,
Congrès national de l'industrie italienne
des dérivés de tomates,
Parme, 18 et 19 mai 1933.

Chapitre 7

I

Après les expériences de Nicolas Appert menées à partir de 1794, la toute première usine de conserves au monde fut installée à Massy, en France, en 1802. Quatre ans plus tard, alors que l'inventeur de la conserve[1] vend déjà ses produits en Bavière et en Russie à des consommateurs fortunés qui apprécient de déguster en hiver des mets du printemps et de l'été, Appert présente ses conserves en verre lors de la quatrième Exposition des produits de l'Industrie française[2]. Quelques années plus tard, l'Anglais Peter Durand modernise l'invention en utilisant des boîtes en fer-blanc – une tôle d'acier recouverte d'étain –

1. Nicolas Appert, *Le Livre de tous les ménages, ou l'art de conserver pendant plusieurs années toutes les substances animales et végétales*, Paris, Charles-Frobert Patris, 1831 [1re éd. 1810].
2. Jean-Paul Barbier, *Nicolas Appert, inventeur et humaniste*, Paris, éditions Royer, 1994.

qui remplace les bocaux de verre, dont le principal défaut est de casser lors des transports. En 1819 ouvre à New York la première conserverie nord-américaine. L'année suivante, la boîte de conserve est reconnue article de commerce en France et en Angleterre, puis le devient aux États-Unis à partir de 1822. Le contenant métallique est ensuite utilisé en Bretagne pour l'industrie de la sardine à l'huile[1], dont les usines se multiplient. On y embauche femmes et enfants de pêcheurs pour des salaires de misère ; les conditions de travail terribles seront à l'origine de très nombreuses grèves.

D'abord destinée aux marins, la conserve, cette toute nouvelle marchandise, s'exporte rapidement dans le monde entier. À l'aube des années 1860, la France est le premier exportateur mondial de conserves de sardines. Un traité de libre-échange avec l'Angleterre ouvre les portes des empires coloniaux à cette production. C'est à la même période, en 1856, que Francesco Cirio, âgé de vingt ans, inaugure à Turin la première conserverie industrielle d'Italie. Remarqué lors de l'Exposition universelle de Paris en 1867, Cirio exporte déjà ses conserves de tomates dans le monde entier, de Liverpool à Sidney. Le 2 juillet 1871, Victor-Emmanuel II entre dans Rome – l'Italie est presque totalement unifiée. Cirio installe plusieurs conserveries dans le sud du pays, où il organise

1. Xavier Dubois, *La Révolution sardinière. Pêcheurs et conservateurs en Bretagne au XIXe siècle*, Rennes, Presses universitaires de Rennes, 2001.

et structure l'agriculture des vastes campagnes. Et c'est avec les conserveries Cirio que débute la timide industrialisation du Sud de l'Italie. La conserve de « tomates pelées », l'un des produits phares de la marque Cirio, devient un symbole commercial de l'Italie.

Peu auparavant, la guerre civile américaine (1861-1865) a généré une brusque accélération des exportations de conserves européennes vers l'Amérique du Nord. Bien qu'étant à l'époque un produit fort coûteux et qu'elles aient d'abord été réservées aux officiers durant le conflit, elles ont été beaucoup consommées : des boîtes en fer-blanc vides jonchent rapidement les abords des quartiers généraux des deux armées. Parmi les conserves alimentaires utilisées pour l'intendance, des sardines bretonnes et des soupes de légumes à base de tomates. La guerre de Sécession, parfois considérée comme la première guerre moderne de l'Histoire, diffuse l'usage de la boîte de conserve. La conserve métallique marque le début du développement accéléré de l'industrie alimentaire en Amérique du Nord et stimule en Europe la production.

Tandis que la croissance industrielle des États-Unis est multipliée par six entre 1859 et 1899, leur nouvelle industrie alimentaire connaît, pour sa part, une croissance de 1 500 %. Les conflits armés qui vont se succéder tout au long du XXe siècle finiront de consacrer la boîte de conserve. Facilement transportable, affranchie de la saisonnalité des récoltes, d'une grande résistance aux conditions les plus extrêmes, la boîte de conserve accompagne aisément les mouvements des troupes, facilite l'organisation logistique des ravitaillements et permet d'augmenter la durée des conflits. Si, tout au long du XXe siècle, l'armement ne cesse de se perfectionner, transformant la configuration des guerres, le rationnement en conserves, lui, est un élément invariant. Aucune armée ne peut imaginer s'en passer, il est indispensable à tous ceux qui veulent pouvoir s'entretuer à large échelle, sur de longues périodes. Avec les guerres, les boîtes s'imposent comme une manière extrêmement pratique de nourrir les troupes autant que les populations civiles.

En 1900, New York compte 220 000 immigrés italiens. Dix ans plus tard, ils sont 545 000. En 1930, ils représentent 17 % de la population de la ville. En 1938, plus de 10 000 Italiens tiennent une épicerie aux États-Unis, soit autant d'« ambassades de la tomate », puisque tous ces commerces proposent des conserves de tomates, le plus souvent importées d'Italie[1]. Les boîtes de conserve de tomates sont omniprésentes dans la vie des immigrés italiens, au point que, dans les années 1930, certaines deviennent des supports de la propagande fasciste à l'adresse des Italiens des États-Unis[2]. Les étiquettes *Progresso*, le « Progrès », font ainsi apparaître un soldat romain avec,

1. John F. Mariani, *How Italian Food Conquered the World*, New York, Palgrave Macmillan, 2011.
2. David Gentilcore, *Pomodoro ! A History of the Tomato in Italy*, New York, Columbia University Press, 2010.

à l'arrière-plan, des symboles fascistes évoquant le développement industriel accéléré de l'Italie : architecture rationaliste, avions, bateaux, train sortant d'un tunnel...

II

Musée de la Tomate d'industrie, Parme, Émilie-Romagne

D'abord produits localement de manière artisanale au XIXe siècle par des femmes issues de la paysannerie, les *pani neri*, ancêtres du concentré de tomates, sont de gros pains noirs de pâte de tomate séchés au soleil, extrêmement durs : du « sextuple concentré », dont l'origine est sicilienne. Il n'existe pratiquement plus aucun producteur de ce sextuple concentré en Italie. L'un des derniers se trouve à Palerme.

Ces pains noirs sont produits dans la région de l'Émilie-Romagne en 1840. Vingt-cinq ans plus tard, en 1865, un chimiste et ingénieur agronome italien, le véritable père de l'industrie de la tomate s'il en est un[1], Carlo Rognoni (1829-1904), entreprend de rationaliser la production de ce produit alimentaire et de moderniser sa culture. Zélé vulgarisateur à la tête de fermes expérimentales, Rognoni réussit à convaincre de nombreux paysans de la province

1. Musée de la Tomate d'industrie, Parme.

de Parme de se spécialiser dans la culture de la tomate à des fins de transformation. Faisant évoluer les techniques agricoles de la culture de la tomate, l'agronome parvient à augmenter la productivité des champs et contribue à l'émergence de coopératives de producteurs. Dès la fin du XIXe siècle, l'Italie est exportatrice de conserves de tomates. Au début du XXe siècle, elle s'impose comme le premier pays exportateur au monde. De 2 000 tonnes de conserves de tomates exportées en 1897, l'Italie passe à 14 355 tonnes en 1906, puis à 49 100 tonnes en 1912, année où l'Italie produit déjà 630 000 tonnes de tomates, un chiffre alors sans équivalent dans le monde[1]. Les pays qui comptent une forte présence d'immigrés italiens nouvellement arrivés deviennent très vite les plus gros importateurs de conserves de tomates. Les États-Unis absorbent à eux seuls, en 1913, près de 21 000 tonnes de conserves, soit près de la moitié des exportations italiennes. La même année, l'Argentine importe quant à elle plus de 6 000 tonnes de conserves[2]. L'entreprise Cirio fait alors déjà partie des conserveries qui exportent sur tous les continents. À partir des années 1920, grâce à des campagnes de publicité dans de nombreux pays, Cirio se place à la tête d'un véritable empire.

1. Dr Carlo Boverat, « L'industria italiana delle conserve di pomodoro e la sua posizione sul mercato », 1958. Collection de l'auteur.
2. Attilio Todeschini, « Il pomodoro in Emilia », Istituto Nazionale di Economia Agraria, 1938. Collection de l'auteur.

De nos jours, au musée de la Tomate d'industrie de Parme, trône une vieille machine de transformation cuivrée, digne d'un roman de Jules Verne, au nom français : la *boule*. Il y a plus d'un siècle, les Italiens ont détourné l'usage de cette machine qui était utilisée par des brasseurs, et ils l'ont adoptée. Les *boules* sont les toutes premières machines utilisées par l'industrie italienne du concentré. Elles n'ont presque pas évolué technologiquement depuis le XIXe siècle : elles restent indispensables à l'industrie de la tomate, car elles sont le réceptacle où travailler le concentré. Ailleurs, dans le musée, sur le toit d'une vieille Fiat publicitaire rouge et blanc des années 1950, se dresse un gigantesque tube de concentré de tomates : une invention italienne d'après-guerre, qui permit jadis aux ménages les plus modestes ne disposant pas de réfrigérateur de pouvoir conserver sainement leur concentré, longtemps après ouverture.

Enfin, au fond de la salle d'exposition, s'alignent dans une vitrine une centaine de boîtes de conserve aux reflets rouges et or, pour certaines vieilles de plus d'un siècle. Car c'est ici, à Parme, que s'ouvrit en 1888 la toute première conserverie industrielle italienne spécialisée dans les dérivés de tomates. Elle allait engendrer l'essor fulgurant d'un nouveau business, dont témoigne le florilège de boîtes de conserve présentées. Sur chacune d'elles apparaissent des noms de marques, pour beaucoup disparues. Une illustration les différencie les unes des autres. Le tout forme un mur d'étranges hiéroglyphes. Ici, c'est un cygne, là un aigle, ailleurs un coq, un lion, un poussin, un tigre ou un taureau. Au loin brille la lune, le soleil, une étoile. Là-bas c'est une rose, suivie d'une violette. Un cavalier paraît provoquer en duel un ange, coudoyant lui-même un bateau transatlantique, voisin d'un galion. À côté, un ballon dirigeable. Un biplan prend son envol. À la rangée inférieure se sont posés Phaéton, Hercule et le Centaure. Même Dante Alighieri est au rendez-vous. « Eh oui, explique le guide, il fallait bien que les très nombreux analphabètes de jadis puissent désigner à l'épicier la boîte de concentré de tomates qu'ils désiraient acheter. Ils ne connaissaient pas le nom de la marque, mais ils demandaient la "boîte du tigre", ou celle "de l'aigle". Chaque firme avait son identité graphique afin de se distinguer de ses concurrents. Même si, bien sûr, à l'intérieur, c'était toujours la même chose et que la qualité du *concentrato* ne différait pas vraiment. »

Sans qu'il en soit conscient, le guide du musée venait de décrire une vérité toujours actuelle… en Afrique, où les industriels de la tomate continuent d'utiliser le graphisme des boîtes comme une arme de persuasion.

III

Avec la Marche sur Rome et l'avènement du fascisme en 1922 advient une nouvelle politique agricole dans le royaume d'Italie. Sous le fascisme, l'« autarcie » devient le mot d'ordre, dont les lettres immenses s'affichent sur les bâtiments publics. Cette politique économique à forte teneur idéologique a des incidences sur l'agriculture italienne. Sous le régime fasciste, le secteur de la tomate d'industrie connaît une structuration, un développement et une planification sans précédent. Alors que la propagande représente Mussolini fauchant des épis torse nu parmi des paysans italiens, les fascistes lancent en 1925 la « Bataille du blé », campagne faisant de la céréale une priorité nationale. En huit ans, la production de blé passe de 50 à 80 millions de quintaux. Le nouveau modèle agraire fixe les grands choix stratégiques du pays et dicte les quotas. Dans l'industrie de la tomate, la politique fasciste a pour conséquence d'accentuer davantage encore le rôle de l'agronomie et de la technologie dans la production nationale, et conforte en particulier le rôle central de la région de Parme. La division entre le Nord et le Sud en est accrue : le Nord produit majoritairement des dérivés de tomates tels que le concentré, le Sud des conserves de type « tomates pelées », partition industrielle qui n'a pas disparu. Non seulement la filière nationale de la tomate réussit à atteindre les objectifs de l'« autarcie », mais elle parvient aussi à augmenter ses exportations de conserves, ce qui n'était pourtant pas une priorité du régime.

Les rebondissements géopolitiques des années 1930, notamment douaniers, ont cependant pour conséquence une très grande irrégularité du rythme des exportations. Une instabilité qu'accentuent, à la même période, les multiples faillites de banques italiennes alors engagées dans un grand nombre d'investissements agro-industriels. Un record d'exportation est atteint en 1929, année où l'Italie expédie à l'international 137 610 tonnes de conserves de tomates, en grande partie grâce au travail de la Società cooperativa per l'esportazione del doppio concentrato di pomodoro. Mais, dans les années suivantes, l'industrie italienne de la tomate doit faire face à la multiplication des barrières douanières, dont l'exemple le plus emblématique, qui marque un brusque coup d'arrêt, est le *Smoot-Hawley Tariff Act* : la loi protectionniste promulguée aux États-Unis le 17 juin 1930 fait chuter les exportations de conserves de tomates aux États-Unis. À cette époque, des Italo-Américains décident d'ouvrir des conserveries de tomates aux États-Unis afin de satisfaire la demande de leur communauté. S'ajoutent aussi, en 1936, les sanctions économiques imposées à l'Italie par la Société des Nations (SDN) après l'invasion de l'Éthiopie, qui fragilisent encore un peu plus l'industrie rouge. Le contexte politique fasciste génère donc une augmentation et une rationalisation de la production, ainsi qu'une augmentation puis une instabilité des exportations. Ces dernières s'interrompent avec le déclenchement de la Seconde Guerre mondiale. Mais à la baisse des exportations répond l'augmentation de la demande de l'armée italienne en conserves. En 2015, deux archéologues autrichiens ont retrouvé lors de fouilles en Égypte deux boîtes de conserve Cirio, dont l'une de tomates, datant de 1923. Il s'agit là d'un témoignage du passage de soldats italiens se rendant plus au sud, vers les colonies italiennes, autant que du rôle de Cirio, acteur majeur de l'histoire de l'industrie conservière en Italie. Durant la Seconde Guerre mondiale, Cirio devient le fournisseur de l'armée italienne : ses conserves sont consommées jusque sur le front de l'Est par les soldats de l'Axe, tandis que la Campbell Soup et la Heinz Company produisent massivement des rations pour le ravitaillement des Alliés.

En 1938, les fascistes promulguent une loi planifiant la production de tomates d'industrie. Si elle est fatale à certaines petites conserveries, cette loi renforce la position de Parme dans la production industrielle de concentré de tomates. L'industrie de la tomate, totalement encadrée par le régime, n'a désormais plus à se soucier de l'instabilité bancaire, elle bénéficie de nombreuses protections, que ce soit pour la production de la matière première, la transformation industrielle ou la recherche. Durant toute la période fasciste, et notamment à l'approche de la guerre, le Nord de l'Italie est une terre d'innovation importante pour l'industrie agro-alimentaire. Durant le *ventennio fascista*, la double décennie d'hégémonie du régime, les surfaces cultivées en tomates d'industrie n'ont cessé d'augmenter, passant de 33 000 hectares en 1920-1922 à 41 000 en 1923-1925 ; 52 000 en 1929-1931 ; 59 000 en 1938-1940.

En 1940, en pleine guerre, se tient à Parme la première Exposition autarcique des boîtes et emballages de conserve, un événement qui fait la fierté des hiérarques du régime. La couverture de son catalogue montre une boîte de conserve frappée des lettres majuscules « AUTARCHIA[1] ». Durant la période fasciste, la boîte de conserve est un symbole important, idéologiquement compatible avec l'orientation autarcique du régime, autant qu'avec sa « révolution culturelle » inspirée du futurisme qui exalte la civilisation urbaine, les machines et la guerre. La boîte de conserve, comme son contenu, nourriture de l'« homme nouveau », est à la fois produite scientifiquement, selon les méthodes modernes de l'industrie, et permet de *conserver* ce qui a été cultivé sur la terre de la Patrie. Les fascistes vont jusqu'à réécrire l'histoire de la conserve[2], prétendant que le Français Nicolas Appert n'en est pas l'inventeur : c'est bien sûr une invention que l'Italie doit à un biologiste italien, Lazzaro Spallanzani (1729-1799).

« Durant l'autarcie fasciste, le rôle de la conserve de tomates est politique, souligne l'historien de la gastronomie Alberto Capatti. À la différence de la farine, qui a une histoire italienne difficile, ou de la pomme de terre, qui n'est pas typiquement italienne, la tomate et ses conserves sont alors entièrement produites en Italie. Parce que perçues comme "typiquement italiennes", les boîtes de tomates incarnent l'autosuffisance alimen-

1. *Pianeta Italia. Arte e Industria*, Giovanni Pacifico Editore.
2. Attilio Todeschini, *Il pomodoro in Emilia*, Istituto Nazionale di Economia Agraria, 1938. Collection de l'auteur.

taire. Aujourd'hui, les deux aliments globalisés des *fast-food* italiens, le plat de pâtes et la pizza, contiennent de la tomate. C'est là, en partie, l'héritage de cette industrie de la tomate qui a été structurée, développée, encouragée et financée par le régime fasciste. Les expositions consacrées aux conserves n'exaltaient pas le fascisme, mais la force des capacités productives italiennes. Une force qui était à la disposition de tous les fascistes. C'est à partir de cette période que l'Italie devient un pays pionnier dans la construction des machines alimentaires, et c'est à cette époque que les machines deviennent le point central de tout le système alimentaire, celui qui s'est imposé aujourd'hui[1]. »

Après guerre, la Mostra delle Conserve demeure un événement incontournable pour les firmes agro-industrielles. La foire est renommée en 1985 Cibus Tec, du latin *cibus* qui a donné le mot italien *cibo,* « nourriture ». Aujourd'hui, le Cibus Tec, Salon des technologies de l'industrie agro-alimentaire, se tient toujours à Parme. La filière mondiale de la tomate d'industrie y est très présente.

L'Histoire est parfois capable d'étranges paradoxes : c'est la politique autarcique de Mussolini, préconisant l'industrialisation et la rationalisation du secteur agro-alimentaire italien, qui a fourni à l'Italie les armes pour se tailler, après guerre, des parts de marché décisives, et assurer son hégémonie dans la tomate d'industrie, en exportant ses conserves, et avoir une longueur d'avance, dans le

1. Entretien avec Alberto Capatti, 24 août 2016.

domaine des machines-outils... L'Italie était équipée pour structurer à sa main la filière et mener la globalisation de la tomate.

De nombreux sites industriels de l'Émilie-Romagne sont bombardés en 1944. Les usines produisant des machines-outils ne font pas exception. C'est en 1945 que Camillo Catelli (1919-2012) inaugure avec Angello Rossi une usine d'industrie mécanique vouée à devenir le leader mondial des usines de transformation de tomates vendues clés en main, la Rossi & Catelli, devenue en 2006, suite à la fusion d'entreprises du secteur, CFT.

D'abord simple ouvrier, Camillo Catelli est apprenti dans l'usine Luciani avant guerre. Dans les années 1950, il se révèle un redoutable capitaine d'industrie, capable d'exporter ses machines partout dans le monde. Bien que les deux hommes se séparent par la suite – Angello Rossi lance en 1951 son entreprise Ing. A. Rossi, qui deviendra un autre leader du secteur –, c'est sous le nom de Rossi & Catelli que la firme accumule brevets et contrats durant toute la seconde moitié du XXe siècle. L'expansion internationale de la Rossi & Catelli débute véritablement en 1957, avec l'invention de son tout premier modèle d'évaporateur moderne. L'innovation constitue une véritable révolution, en ce que les évaporateurs Rossi & Catelli augmentent considérablement la productivité. Cette avance technologique, l'entreprise réussit à la maintenir dans les décennies suivantes, et ce jusqu'à nos jours. Elle exporte à partir des années 1960 ses machines en Union soviétique comme aux États-Unis, époque à laquelle elle noue un premier partenariat, véritablement stratégique, avec la Heinz Company.

C'est au début des années 1990 que vient l'heure de la Chine.

Chapitre 8

I

Environs d'Ürümqi, route 112, Xinjiang, Chine

Scellée sur la façade d'un immense bâtiment de verre au toit rouge, une enseigne Chalkis. Il ne s'agit pas du siège de la compagnie, qui se trouve dans le centre d'Ürümqi, mais d'un « laboratoire » à l'architecture moderne, dont la photographie figure sur le site Internet de la compagnie. En l'observant depuis la route 112, à la sortie de la ville, je découvre que l'infrastructure tape-à-l'œil a pour voisine une usine de transformation de tomates. Un détail m'intrigue. Nous sommes en pleine période de récolte et ses cheminées ne fument pas. Aucune odeur de tomate cuite. Le site paraît extrêmement calme. Un petit chemin au bitume craquelé permet d'accéder à l'usine. Par où les camions de tomates livrent-ils ? La petite route est déserte. Personne à l'entrée du site – un portail, une guérite, une balance de pesée pour camions, installée dans le goudron. Ou, du moins, ce qu'il en reste : les carreaux de la guérite sont cassés. La peinture du portail est écaillée. La balance de pesée est mangée par la rouille. Des herbes folles ont poussé dans les craquelures de l'asphalte. Depuis l'entrée, l'usine de transformation de tomates semble à l'abandon. Peut-être trouve-t-on une autre guérite, ainsi qu'une autre balance, un peu plus loin ?

Le portail est ouvert. En roulant lentement sur la balance de pesée, la voiture occasionne un gros bruit métallique. Après plus d'une centaine de mètres, j'aperçois les anciennes stations de déchargement des bennes de tomates. Cette fois, il n'y a plus l'ombre d'un doute : l'usine est abandonnée. Les plateformes de lavage ainsi que les très nombreuses canalisations sont couvertes de corrosion. Un évaporateur se dresse au milieu de la friche. Il n'y a pas âme qui vive.

La portière de la voiture claque. Le silence est total. Je fais quelques pas pour m'approcher d'armoires électriques extérieures. Elles ont été éventrées. Un tapis élévateur de tomates est défoncé. Mais qu'a-t-il bien pu se passer ici ? Ailleurs, d'autres carreaux brisés. Les cheminées, les cuves gigantesques, tout est resté en place. Il s'agit bien là du cadavre d'une usine de transformation de tomates de facture italienne, dont le coût d'achat et d'installation a dû s'élever, il n'y a pas si longtemps de cela, à plusieurs millions d'euros. Le site est encombré d'une centaine de véhicules de chantier, parmi lesquels beaucoup de tractopelles.

Vraisemblablement des machines du Bingtuan, spécialiste du génie civil.

Sous un hangar dorment de vieux barils de concentré de tomates périmé, ainsi que des stocks de boîtes de concentré de tomates de marque Gino. Il s'agit de boîtes tricolores, aux couleurs du drapeau italien, frappées d'une petite tomate stylisée affichant un large sourire. Gino, la marque numéro un en Afrique... Je continue d'arpenter la friche et découvre un escalier menant à une porte. Monter ces marches, pénétrer à l'intérieur ? D'accord, mais vite, et seulement si la porte est ouverte. La chance me sourit. La serrure a été fracturée par quelqu'un avant moi. J'entre et découvre un couloir dont l'un des murs est vitré. C'est une passerelle qui surplombe l'atelier fantôme. Elle offre une vue imprenable sur toutes les machines à l'arrêt. Toutes les lignes sont là, imposantes, recouvertes de poussière. Le spectacle est extraordinaire.

Au bout de la passerelle, une autre porte. Elle donne sur un autre couloir vitré, à l'aplomb cette fois des stocks, qui n'ont rien à voir avec une activité de transformation de tomates. Il semble que les entrepôts de l'usine servent désormais à stocker des matériaux et des outils de chantier. Les plaques qui dallent le couloir sont bruyantes. Je les maudis tout au long de ma progression, car elles grincent énormément. Je trouve d'autres portes fermées d'un simple loquet, qu'il me suffit de lever. Dans une pièce, des bureaux défoncés, retournés, vandalisés. Telle de la vase déposée sur une épave, le sol est jonché d'une quantité considérable de documents : des feuilles imprimées en mandarin noircies par la poussière et l'humidité. Ces documents ont vraisemblablement été vidés des armoires métalliques de la salle. Par terre, des photos de l'usine.

Dans une pièce voisine, qui, elle aussi, a été fouillée, les témoignages de la vie dans l'usine sont plus nombreux. Des badges des anciens ouvriers s'y trouvent. Une épaisse enveloppe contient des centaines de photos d'identité. Aucun visage ouïgour. Tous sont hans. Des ouvriers du Bingtuan.

Sur une étagère, une casquette militaire rappelle que dans les usines Chalkis les ouvriers soldats travaillent en uniforme. Sur une autre étagère, des fanions rouges de propagande. Beaucoup de grandes banderoles. Ailleurs, dans un placard, les très nombreux plans de l'usine présentent les machines construites à Parme. Plusieurs dizaines de cartons d'archives. De vieux téléphones et du matériel informatique obsolète. Des petits livrets rouges à l'allure de passeports vierges. Des diplômes pour les ouvriers les plus méritants, ainsi que des autocollants sur lesquels ont été imprimés des slogans. Des détritus.

Soudain, au beau milieu de cet amoncellement, une pile de livres. Des guides d'accueil pour le nouvel ouvrier en mandarin. Des brochures reliées présentant quatorze usines Chalkis. Ainsi qu'une belle monographie bilingue, mandarin-anglais, éditée en 2004 : « Célébration du 10e anniversaire de la Xinjiang Chalkis Industry Stock Co., Ltd.[1] ».

---

1. Chalkis, *Monograph of celebration of the 10th anniversary of Xinjiang Chalkis Industry Stock Co., Ltd.*, 2004.

La reliure est frappée du logo Chalkis. Le livre s'ouvre sur un immense portrait du général Liu, fondateur du groupe industriel. Pages suivantes, sur d'autres photographies, le général est accompagné de hauts dignitaires chinois chaussant de très grosses lunettes noires, à la mode Kim Jong-il. L'ouvrage présente les glorieux succès du Bingtuan dans l'industrie de la tomate. Aux pages consacrées au rachat du Cabanon, j'aperçois Joël Bernard, l'ancien dirigeant de la coopérative : il pose entre le général Liu et un drapeau rouge. Sur une autre photographie, le général Liu Yi et Thierry Mariani, ancien député du Vaucluse, se sourient en se serrant la main lors d'une cérémonie organisée dans les salons du Royal Monceau, à Paris, le 9 avril 2004. La raison de l'événement ? Célébrer le tout premier investissement chinois dans une entreprise agricole française…

La monographie contient des dizaines de photos vantant les activités du groupe. Des files de camions pleins de tomates. Des conteneurs de marchandises. Des usines. Et bien sûr, encore et toujours, des clichés du général Liu en train de faire quelque chose de très important, comme regarder une carte du monde en la montrant du doigt, réfléchir sur un dossier, un stylo à la main, ou donner des ordres à ses troupes avant une offensive commerciale décisive. Plus loin, il pose devant une usine de la Heinz Company, en compagnie d'un acheteur de la multinationale. Sur une autre image, il est à nouveau en Provence, au Cabanon, accompagné cette fois d'un officiel chinois.

Pages suivantes, on aperçoit des hommes levant leur verre autour d'une table où sont plantés des petits drapeaux... italiens et chinois. Au côté du général Liu Yi, je reconnais le « roi de la tomate », le Napolitain Antonino Russo. On le retrouve quelques pages plus loin en train de parapher des documents : « Signature d'un contrat d'export pour du ketchup avec l'entreprise Russo », dit la légende. Sur une troisième photo, d'autres célébrations de l'entreprise d'Antonino Russo : « Signature d'un contrat pour la construction d'une ligne de transformation en Chine, par joint-venture ». Sur une quatrième photo, le général Liu est cette fois en visite en Italie, en compagnie d'un dignitaire chinois du Xinjiang, dans une usine Russo des environs de Naples. Ailleurs, je reconnais Antonio Petti, le rival d'Antonino Russo.

Je redresse la tête, jette un dernier regard sur le tas de badges où s'amoncellent les visages des ouvriers. Inutile de s'attarder ici.

II

Pékin, Chine

« J'ai apporté avec moi un livre datant de 2004, célébrant les dix ans de Chalkis. Accepteriez-vous d'en commenter les photos[1] ?

1. Entretien avec le général Liu, 21 août 2016.

— Bien sûr, me répond le général Liu dans un sourire. Ça, c'est en Angleterre, en 1996, lors de la signature d'un contrat d'exportation avec Heinz. Lui, c'est un ancien ministre chinois du Commerce et de l'Économie internationale, venu inspecter l'une des usines Chalkis. Ici, c'est Wu Bangguo, président du Comité permanent de l'Assemblée populaire nationale [l'actuel numéro deux du Comité permanent du Bureau politique du Parti communiste chinois, l'un des hommes les plus puissants du pays]. Et là, c'est en Italie, en 2001, avec Antonino Russo, lors de notre premier grand accord de coopération stratégique.

— Êtes-vous souvent allé en Italie ?

— Oh oui ! Je peux dire que Naples a longtemps été ma seconde maison. L'Italie a eu un rôle incontournable dans l'essor de Chalkis. J'allais sans cesse à Naples, ainsi qu'à Parme, se souvient le général Liu. Je connais très bien Antonio Petti et je connaissais aussi très bien Antonino Russo.

— Russo était l'un de vos clients ?

— Il était plus qu'un client. Antonino Russo a été, et de loin, mon premier partenaire, mon associé, mon client le plus important. Russo m'a beaucoup aidé dans cette industrie. C'était vraiment quelqu'un de bien. Combien de concentré de tomates Antonino Russo a-t-il acheté à Chalkis ? Énormément ! C'était mon plus gros client. Russo a acheté entre 35 et 40 % de la production de Chalkis entre 2001 et 2006. Du temps où je dirigeais Chalkis, nous avons exporté des quantités considérables de concentré de tomates dans ses usines, à Naples. J'avais de vraies relations d'amitié avec lui. En 2001, Antonino Russo m'a même offert une usine.

— Offert ? Mais pourquoi Antonino Russo vous a-t-il offert une usine ?

– Nous étions amis. Il me l'a donnée gratuitement, pour me manifester son amitié... »

Chapitre 9

I

À partir du début des années 1990, la Chine s'équipe massivement en usines de transformation de tomates de facture italienne. Tout au long des années 2000, elle devient le premier producteur de concentré au monde. En 2004, Chalkis rachète Le Cabanon afin d'en faire une tête de pont pour son concentré sur le marché européen. L'empire du Milieu devient en un temps record une grande puissance de la tomate transformée. Cette ascension soudaine de la Chine, dans un secteur industriel dont elle ignorait tout, a de quoi étonner. Mais il y a plus surprenant encore : les Chinois ont tellement fait construire d'usines de transformation italiennes tout au long des années 2000 que certaines, aujourd'hui à l'abandon, rouillent au bord des routes du Xinjiang, quand elles n'ont pas été passées au bulldozer. Comme l'explique Davide Ghilotti, ancien journaliste de *Food News* et spécialiste de la filière, « il est difficile d'imaginer cela, mais les Chinois ont véritablement fait raser des usines entières, d'une valeur de plus de dix millions d'euros parfois, quand ils ont compris qu'ils en avaient trop ».

Pour comprendre pourquoi la filière chinoise a connu une poussée de croissance aussi fulgurante que soudaine, il faut avoir en tête la structure de la filière à la veille du boom chinois, et les acteurs principaux qui détenaient le pouvoir. De Parme à Naples, ce sont les Italiens qui règnent en maîtres sur des pans entiers de la filière mondiale. Des conserves de tomates pelées aux petites boîtes de concentré, le marché est oligopolistique. Le pouvoir au sein de l'industrie italienne est détenu par trois types d'acteurs économiques : à Parme, les plus importants traders de concentré de tomates au monde et les constructeurs des usines de transformation à la pointe de la technologie ; à Naples, les plus importants clients des traders de Parme – en premier lieu, les géants Russo et Petti. Les trois sommets du triangle – négoce, industrie mécanique, conserveries – forment un groupe d'intérêt extrêmement puissant, interconnecté, qui n'a cessé de se consolider au cours de la seconde moitié du XXe siècle. Les principaux acteurs de ces trois pôles, économiquement prééminents, se comptent sur les doigts de la main. La filière italienne a des allures de cartel de la tomate.

II

Parme, Émilie-Romagne

En 1930, les frères Armando et Ugo Gandolfi fondent à Parme une entreprise dont l'objet est le négoce de denrées alimentaires. Ugo s'occupe du fromage et du jambon ; Armando, des conserves, et ce jusqu'à sa mort, en 1969. Avec son fils, Rolando Gandolfi, l'entreprise s'ouvre à l'international, brasse des quantités phénoménales de concentré de tomates et compte parmi ses clients, très nombreux, jusqu'à la Heinz Company. L'entreprise Gandolfi devient, à partir de la seconde moitié du XXe siècle, la société de négoce de tomates d'industrie la plus influente au monde. Ce qu'elle est encore aujourd'hui.

Rolando Gandolfi est décédé en 2002. Il avait recruté très tôt son fidèle bras droit, l'homme qui, tout au long de sa carrière, a voyagé dans tous les pays du monde pour le compte de son patron et a travaillé à construire des filières et de nombreux débouchés commerciaux : Silvestro Pieracci.

« J'étais chimiste de formation. Un jour de 1964, quelqu'un de la Station expérimentale de l'industrie des conserves alimentaires[1] (SSICA) de Parme m'a téléphoné pour me dire qu'une usine avait besoin que j'aille faire des analyses. C'est comme

1. Stazione Sperimentale Industria Conserve Alimentari.

cela que je suis entré dans l'industrie de la tomate[1], raconte-t-il. En 1969, j'ai commencé à travailler avec Rolando. Ensemble, très rapidement, nous avons commencé à nous rendre à l'étranger, à une époque où c'était peu fréquent. En Grèce et en Turquie d'abord. Au Portugal ensuite. La filière grecque est née après mon voyage, au début des années 1970, avec un très bon client à moi, Pasquale Petti. C'était le père d'Antonio, qui dirige aujourd'hui l'entreprise Petti. Pasquale Petti pouvait acheter beaucoup de conserves. Et nous, Gandolfi, nous savions comment lui en fournir énormément. Toute l'industrie mécanique était ici, à Parme. Toutes les machines à la pointe de la technologie étaient fabriquées à deux pas de nos bureaux. Nous avions le savoir-faire. Alors nous nous rendions dans un pays, et le transfert de technologie s'organisait. Ensuite nous achetions le concentré produit localement. C'est avec la Grèce que notre ouverture à l'international a débuté. À l'époque, nous n'étions pas seuls, il y avait beaucoup de négociants dans la filière. Mais avec nos connaissances, nos capacités et nos amitiés, Gandolfi est devenu le numéro un mondial à partir de la fin des années 1970. Nous avions d'excellentes relations avec Heinz, Nestlé, Kraft, Panzani, et beaucoup d'autres. Toutes les grandes entreprises du secteur nous ont contactés, et nous avons travaillé avec elles. »

Durant sa carrière, Silvestro Pieracci visite tous les pays du monde où l'on compte une usine

1. Entretien avec Silvestro Pieracci, 25 juillet 2016.

de transformation de tomates. Les volumes de concentré qu'il achète et vend sont alors sans équivalent. « En un seul contrat, en passant un seul coup de téléphone, j'ai pu vendre des quantités de 30 000 tonnes de concentré. Des cargos entiers. »

Dans les années 1980, les plus gros acheteurs de la Gandolfi sont les Napolitains : les industriels de l'Agro nocerino-sarnese, l'épicentre de l'industrie conservière du Sud.

« Les Napolitains étaient nos plus gros acquéreurs, indiscutablement, poursuit-il. J'ai connu Antonino Russo en 1979, à une époque où il pouvait recevoir dans l'entrepôt d'une usine, entre des caisses de bois. Il fallait s'asseoir sur l'une d'entre elles, après quoi l'on discutait des heures. Faire des affaires dans le Sud, ce n'est pas donné à n'importe qui… On ne peut pas imaginer les quantités de concentré achetées par Naples. Les plus gros, à cette époque, étaient Antonino Russo et la famille Petti. Giaguaro n'était pas encore arrivé. Au début, dans le Sud, ils ont utilisé les déchets des tomates pelées, les épluchures, pour faire une pâte qu'ils vendaient pour rien aux marchés africains. C'est comme cela qu'ils ont débuté. Mais ils ne faisaient pas que les conserves de tomates. Il y avait les pêches, les cerises, les haricots verts… Jadis, dans l'Agro nocerino-sarnese, les marchés des fruits et légumes étaient presque tous aux mains de la Camorra. »

Lorsque deux grandes familles se partagent un marché gigantesque, il arrive que la compétition s'exacerbe et que l'une essaie d'empiéter sur le territoire de l'autre. Des épisodes ont cristallisé la rivalité entre les clans Russo et Petti : les appels d'offres des pays arabes, tels que l'Algérie ou la Libye.

« Lors de ces enchères, se souvient Silvestro Pieracci, il ne s'agissait pas de quelques conteneurs, mais de dizaines de milliers de tonnes de marchandises. Russo et Petti voulaient tous les deux vendre en Afrique. Alors Russo s'est mis à faire du dumping sur certains produits, pour rivaliser avec Petti. Quand se décidaient annuellement les gros marchés algériens et libyens, c'était vraiment la guerre. Autant être franc : les dessous-de-table étaient déterminants lors de ces tractations. Dans ce domaine, je crois que les Libyens étaient les pires : ils ne s'arrêtaient jamais. Avec les Algériens, ça passait encore. Mais les Libyens étaient vraiment terribles. Aujourd'hui les choses ont changé. Les Algériens ont appris à acheter en Chine et à mettre en boîte leurs importations. »

La guerre des prix entre Russo et Petti ne faisait pas les affaires de Gandolfi, leur fournisseur. Alors l'entreprise a fait office, en quelques circonstances, de juge de paix. Rolando Gandolfi avait chargé son bras droit, Silvestro Pieracci, d'organiser des rencontres de conciliation entre Russo et Petti. Selon lui, l'une d'elles se déroula à huis clos, à Rome, dans le luxueux hôtel Eden de la via Ludovisi. Voici le récit qu'il en fait :

« Rolando et moi, nous avons essayé plusieurs fois de convaincre ces personnages de se mettre d'accord, parce que cela n'avait aucun sens de se faire la guerre, de se massacrer. Si le marché achète 100, il achète 100. Alors il vaut mieux se mettre d'accord une seconde, éviter de s'entretuer et de perdre de l'argent, et s'aligner sur ce qui peut être le juste prix du marché pour tout le monde, un prix en dessous duquel on ne devrait pas aller, au risque d'y perdre vraiment, de faire le grand écart, de ne plus pouvoir payer les taxes et impôts, ou les boîtes. Ce principe n'est pas valable uniquement pour le concentré. C'est aussi valable pour les tomates pelées. Mais, en ce qui concerne cette marchandise, nous n'avons jamais réussi à mettre d'accord Russo et Petti. Nous avons essayé deux ou trois fois de mettre au point une stratégie et d'établir une ligne commune de vente, ou d'approche du marché, mais nous n'avons jamais réussi sur les tomates pelées. En revanche, sur le concentré, notamment pour les appels d'offres algériens et libyens, nous sommes parvenus à trouver une sorte d'accord. Il a fonctionné pendant un certain temps : on prenait la commande, et peu importe qui prenait quoi. Une partie de la commande était faite par l'un des deux, Russo ou Petti, et une autre partie de la commande était faite par l'autre. C'était la chose la plus simple, point final. »

Gandolfi, Russo, Petti : à partir des années 1980, le « cartel du concentré » tient des pans entiers de l'industrie rouge en Europe, en Amérique et en Afrique. Les Italiens sont capables de fournir les marchés des pays riches autant que ceux des pays pauvres ; d'approvisionner les multinationales de l'agro-business comme les marchés publics des régimes autoritaires.

« Les premiers contacts avec les Chinois ? Ils ont été pris suite à un coup de téléphone que j'ai reçu dans les années 1990 d'un constructeur d'usine, l'Ing. Rossi. Ils avaient vendu une usine en Chine et ils m'ont demandé si nous ne pouvions pas donner un coup de main pour vendre le concentré de tomates qui allait en sortir. C'est à cette époque que l'on a introduit Heinz là-bas. »

III

Pékin, Chine

« Dans l'industrie de la tomate, l'Italie a joué le rôle de Marco Polo, résume le général Liu[1]. En fait, les premiers équipements, ce sont les Italiens qui les ont offerts à la Chine. Les fournisseurs des équipements originaires de Parme, en Italie, sont venus en Chine pour aider à l'implantation des usines, pour aider à la production, pour assurer le transfert des technologies, des savoir-faire, pour la formation du personnel... Tout a été organisé par les Italiens. Les équipements, dont beaucoup étaient de marque Rossi & Catelli ou Ing. Rossi, venaient du Nord de l'Italie. Puis notre concentré de tomates était vendu dans le Sud, dans la région de Naples, à Russo ou à Petti. Les Italiens n'ont pas seulement fourni les équipements. Dès le début, ils nous ont aussi acheté le concentré.

1. Entretien avec le général Liu, 21 août 2016.

« Antonino Russo, je l'ai rencontré pour la première fois en 1999 ou en 2000. Je suis allé à Naples et il m'a demandé des échantillons de mes tomates. Il les a fait analyser par son chimiste, et sa première réaction fut l'étonnement : il était époustouflé par le rapport qualité/prix de notre concentré. Il n'arrivait vraiment pas à y croire. Si bien qu'il m'a demandé de lui envoyer un conteneur pour faire un autre test, sur un plus gros échantillon, ce que j'ai fait. Ensuite il m'a passé une première commande de 5 000 tonnes de concentré. Quand il a reçu la livraison, il l'a partagée avec d'autres industriels de Naples, mais il a gardé 3 000 tonnes pour lui. En Italie, ils étaient tous époustouflés par la qualité du concentré Chalkis. Nos tomates étaient tellement bonnes ! Le nom de Chalkis est devenu tout de suite très connu. Ensuite j'ai emmené le vice-président du Bingtuan à Naples, je l'ai introduit auprès d'Antonino Russo. Nous nous sommes mis d'accord sur les prix, et notre partenariat s'est intensifié. En 2003, pour me remercier, Antonino Russo m'a offert une autre usine. Nous avons coopéré avec lui de nombreuses années. »

IV

Parme, Émilie-Romagne

D'une élégance sobre, les bureaux de l'entreprise Gandolfi, numéro un mondial du trading de concentré de tomates, sont aussi spacieux que discrets. C'est de ce lieu que sont partis les « Marco Polo » de la tomate, ouvrant l'épisode majeur et spectaculaire de la mondialisation de la filière. Ils sont aujourd'hui trois frères, de la troisième génération des Gandolfi, à parcourir le monde pour acheter et vendre des barils d'or rouge. Chaque été, ces traders se relaient en Chine dans le cadre de leurs voyages d'affaires rituels. Les trois frères scrutent attentivement l'évolution de la production chinoise. Armando Gandolfi est l'aîné de la fratrie. C'est lui qui m'accueille.

« Nous avons été les premiers à aller travailler en Chine, m'explique-t-il[1]. Nous avons assuré une continuité dans nos interventions, avec des conseils techniques, en fournissant des techniciens italiens. Et nous sommes aujourd'hui parmi les plus gros importateurs de produits chinois au monde. »

Au tout début des années 1990, Armando Gandolfi est le premier trader italien à se rendre en Chine. Son voyage commercial doit préfigurer l'édification de la filière chinoise, la chose est à peine imaginable. Il avait alors une trentaine d'années.

« La Chine que j'ai découverte était très différente de celle d'aujourd'hui. Les gens étaient encore vêtus de costumes maoïstes. Les rues comptaient peu d'automobiles, énormément de bicyclettes. C'était une Chine ancienne. Le pays s'est transformé à très grande vitesse. Voyager à

1. Entretien avec Armando Gandolfi, 26 juillet 2016.

travers la Chine à cette époque, se rendre dans les zones rurales les plus reculées, celles qui allaient devenir d'importantes zones de production de tomates, a été pour moi une véritable aventure. Je me souviens notamment d'avoir fait un voyage en train couchette, interminable, de vingt-quatre heures, dans des conditions d'hygiène particulièrement difficiles… Au Xinjiang, faute de ponts, il m'est arrivé de traverser des rivières en voiture. Cela vous donnait vraiment la sensation d'être un pionnier. »

À cette époque, la volonté de Pékin est de développer le Xinjiang. Il s'agit d'amplifier la politique appliquée méthodiquement par le Bingtuan, dont la mission consiste à poursuivre la colonisation de la région à travers une politique d'industrialisation et de développement agricole.

« En ce qui concerne le marché mondial du concentré, je crois que les Chinois ne se sont pas beaucoup posé de questions, du moins pas de type stratégique, analyse Armando Gandolfi. Selon moi, leur motif principal, c'était de donner du travail aux paysans, de créer de l'occupation, de développer un tissu économique. À partir de cela, les Chinois ont fait des investissements. Dès le début, toute la production fut tournée vers l'exportation, parce que les Chinois ont un marché intérieur très faible. Ils consomment au grand maximum 10 % de ce qu'ils produisent. Tout le reste doit nécessairement être exporté. La consommation de tomates fraîches y est très importante, la Chine est d'ailleurs le plus gros producteur mondial de tomates fraîches. Mais le passage vers la consommation sous forme industrielle se fait lentement. C'est culturel. Passer de la tomate fraîche à la sauce, ce n'est pas simple : il s'agit d'une façon différente de manger. C'est quelque chose qui est en train de se consolider, en particulier chez les nouvelles générations. Mais cela prend du temps. »

Armando Gandolfi a commencé sa carrière en 1975 aux côtés de son père Rolando et de son bras droit, Silvestro Pieracci, à une période où Gandolfi fournissait la Heinz Company. La société de trading devint alors le principal interlocuteur italien de la multinationale états-unienne, ce qui valut à Rolando Gandolfi de faire de très nombreux voyages à Pittsburgh, berceau du géant du ketchup.

V

Au milieu des années 1990, la Suisse est la place financière par laquelle circulent les capitaux italiens qui permettent l'installation des usines italiennes en Chine[1]. Les premières usines sont construites grâce à des accords de *compensation trade*. Silvestro Pieracci en résume le principe : « Moi, je te donne les machines pour faire la production. Toi, tu fais ta production. Et quand

1. Bill Pritchard et David Burch, *Agri-food Globalisation in Perspective. International restructuring in the processing tomato industry*, Farnham, Ashgate, 2003.

tu as fait ta production, tu me la donnes pour que je puisse la vendre et récupérer l'argent des machines que je t'ai données. C'était un système qui était utilisé, dans le passé, oui, je sais que cela s'est fait. »

Les premières usines installées en Chine n'ont donc pas été payées en devises, mais les années suivantes, après récoltes et transformation des tomates, en concentré. La réalité de ces accords de *compensation trade* est attestée par un rapport du Département de l'Agriculture des États-Unis datant de 2002[1]. De nombreux industriels italiens et chinois, interrogés à propos de ces accords, m'ont confirmé qu'ils ont bien existé – accords grâce auxquels des capitaux italiens ont transité entre Italiens, et de l'Italie vers la Suisse –, mais personne, parmi les plus hauts dirigeants de la filière mondiale, ne se souvient d'avoir été l'une des parties au contrat, ni même connaître une seule partie l'ayant été… Est-ce parce que cette circulation de capitaux aurait pu être l'occasion – rêvée pour une entreprise agro-mafieuse, ou une occasion opportune pour une entreprise souhaitant investir des sommes grises – de blanchir de l'argent ? Impossible de répondre à cette question. En Chine comme en Italie, les accords de *compensation trade* semblent avoir rendu amnésiques les industriels de la filière. Et, argent sale ou non, les profits de ce nouveau *business* étaient de toute façon prometteurs…

1. United States Department of Agriculture Foreign Agricultural Service 2002b, p. 4.

VI

Ürümqi, Xinjiang, Chine

Il m'a donné rendez-vous dans le salon d'un vieil hôtel défraîchi d'Ürümqi. Il est l'une des figures incontournables de la filière chinoise. Les traders italiens ne l'évoquent généralement que par son prénom chinois, qu'il ne me sera pas possible de citer. Lorsqu'il s'exprime, un détail intrigue et résume à lui seul l'histoire de la filière chinoise : l'homme assis devant moi parle l'anglais avec un accent italien.

Quand les premiers Italiens arrivèrent au Xinjiang dans les années 1990 afin de bâtir de toutes pièces la filière chinoise, en un temps où Ürümqi ne comptait qu'un seul hôtel de piètre qualité, les « Marco Polo de la tomate » se mirent en quête d'un bon traducteur. Il était jeune et il parlait bien l'anglais : il fut recruté. Durant plusieurs années, l'interprète a accompagné dans toute la région et à Pékin les constructeurs de machines-outils et les traders italiens de Parme. Ayant gagné leur confiance, le jeune homme traduisit de très nombreuses conversations stratégiques. Il assistait aux échanges strictement techniques comme aux négociations cruciales. À chaque fois, il en apprenait davantage sur la filière industrielle, qu'il s'agisse de ses aspects technologiques ou commerciaux. Après plusieurs années à côtoyer ainsi les géants de l'industrie rouge en sa qualité d'interprète, sa formation n'avait pas d'équivalent. Aujourd'hui, il travaille dans l'industrie chinoise. Il connaît tous les rouages des deux géants chinois, Cofco Tunhe et Chalkis.

« La filière chinoise de la tomate d'industrie a été bâtie en plusieurs périodes, se souvient-il. Elle est réellement née entre 1990 et 1993, à une époque où la Chine transformait environ 400 000 tonnes de tomates par an. Italiens et Chinois ont compris que le climat du Xinjiang se prêtait à la culture de la tomate d'industrie et, dès lors, ils n'ont plus cessé d'y bâtir des usines. La seconde phase de croissance, c'est entre 1999 et 2003 : la Chine a produit jusqu'à 5 millions de tonnes de tomates destinées à la transformation, ce qui équivaut à plus de 600 000 tonnes de concentré par an. Enfin, la dernière phase de croissance s'est faite entre 2009 et 2011 : la Chine a alors atteint une production record de 10 millions de tonnes de tomates annuelles, destinées à la transformation industrielle, c'est-à-dire à l'export.

« Depuis, la Chine a réduit sa production, car les industriels du Xinjiang ont compris qu'il ne servait à rien de produire autant pour un marché qui n'existait pas vraiment, que cela avait un impact très négatif sur les prix. En fait, ce qu'il faut comprendre, c'est qu'après la phase de *compensation trade*, l'argent des banques chinoises s'est mis à couler à flots. Les usines ont alors poussé comme des champignons. Une compétition s'est instaurée entre Cofco Tunhe et Chalkis. Les deux entreprises ont construit énormément d'usines, avec lesquelles

elles ont produit des quantités phénoménales de concentré, et ce jusqu'à atteindre des pics de surproduction. C'était à qui serait le numéro un mondial : la compétition était très rude. Les Italiens n'ont rien fait pour les dissuader, car, à la fin, ils récupéraient un concentré à des prix extrêmement bas. Il a fallu attendre 2014 pour que j'organise moi-même des réunions de conciliation entre les industriels chinois afin de mettre un terme à la guerre des prix...

« Il me serait difficile de dire de manière exhaustive qui sont aujourd'hui les grosses multinationales de l'agro-alimentaire qui se fournissent ici, au Xinjiang, car elles sont très nombreuses, poursuit-il.

« Ces multinationales importent énormément de concentré chinois. Unilever, Heinz, Nestlé achètent toutes les trois, respectivement, plusieurs dizaines de milliers de tonnes de concentré chinois tous les ans. Kraft en achète beaucoup également. Les principaux débouchés européens du concentré chinois sont l'Italie, le Royaume-Uni, la Pologne, l'Allemagne et les Pays-Bas, où l'on produit des sauces et du ketchup. La Chine exporte énormément en Russie également. Et là, bien entendu, je ne parle pas de tout le concentré qui part directement en Afrique, et de celui qui part en Italie pour y être reconditionné, puis réexporté en Afrique. »

En 2015, Cofco Tunhe, numéro un chinois et numéro deux mondial, a produit plus de 250 000 tonnes de triple concentré de tomates. Chalkis, pour sa part, numéro deux chinois, en a confectionné 160 000 tonnes. Les numéros trois et quatre chinois, Haohan et Guan Nong, ont pour leur part conditionné respectivement 80 000 et 45 000 tonnes de concentré. Les quatre plus grandes entreprises chinoises transformant des tomates ont donc produit en 2015, à elles seules, les trois quarts de la production chinoise officielle : 737 000 tonnes de concentré de tomates. Si la Chine est aujourd'hui le premier exportateur mondial, en volume, de concentré industriel, c'est parce que, dans le secteur de la tomate d'industrie, les grands pays producteurs fournissent généralement leur très gros marché intérieur en premier lieu. C'est le cas de la Californie, dont la production est en grande partie absorbée par l'immense demande intérieure de l'Amérique du Nord. Il en va de même pour l'autre grand producteur mondial, l'Italie, qui fournit d'abord son marché intérieur, puis une partie de la demande européenne. La Chine cependant, deuxième producteur mondial en 2015, est la seule grande puissance de la filière mondiale à avoir orienté la quasi-totalité de sa production de tomates d'industrie vers l'export. En 2016, selon le magazine *Tomato News*, la production mondiale de tomates destinée à la transformation industrielle s'est élevée à 38 millions de tonnes de tomates. La Californie a produit plus de 11,5 millions de tonnes de tomates, la Chine, 5,1 millions de tonnes, et l'Italie, 5,1 millions. L'Espagne, comme la Turquie, respectivement 2,9 et 2,1 millions de tonnes. En 2015, année où la valeur totale des exportations dans le monde s'est élevée à près de 6,5 milliards de dollars, soit trois fois plus qu'en 1997, seuls treize pays au monde ont eu une balance commerciale positive concernant les dérivés de tomates.

VII

Au cours de mon enquête, des acteurs de la filière m'ont affirmé que des pots-de-vin ont été versés aux industriels chinois de la tomate durant la montée en puissance de la Chine au début des années 2000. Bien entendu, aucune de mes sources n'a affirmé s'être livrée elle-même à de telles pratiques. Paulo Cunha Ribeiro, influent trader portugais, estime que les sollicitations des Chinois se faisaient parfois très insistantes et qu'elles auraient été éteintes par ce moyen. Lui aussi déclare n'avoir jamais mangé de ce pain-là. Selon lui, encore, certains contrats ayant pour objet la construction d'usines ou l'achat d'équipements ont été surévalués. Il me résume le principe de ces surfacturations, permettant la pratique de la rétrocommission :

« Un constructeur vend à un industriel chinois un équipement dont le prix est surfacturé ; l'entreprise chinoise l'achète avec des capitaux prêtés par des banques du gouvernement ; une fois la transaction réalisée, une commission occulte est versée sur un ou plusieurs comptes bancaires détenus à l'étranger par un dirigeant chinois ou par l'un de ses prête-noms. »

VIII

À la naissance de la filière chinoise, la totalité de la récolte des tomates du Xinjiang était effectuée manuellement : la main-d'œuvre coûtait alors de dix à six fois moins cher qu'aujourd'hui. Elle mobilisait des travailleurs migrants en provenance de l'intérieur de la Chine, ou des Ouïgours, payés l'équivalent de deux à trois euros par jour, contre environ vingt aujourd'hui.

La récolte des tomates se faisait également avec l'apport en main-d'œuvre que constituaient les prisonniers des Laogai, les « camps de rééducation par le travail » de la République populaire, les camps du Goulag chinois.

Souvent présentée par la presse occidentale comme l'homologue ouïgoure du dalaï-lama, Mme Rebiya Kadeer préside le Congrès mondial ouïgour. Femme d'affaires au Xinjiang à partir des années 1970, elle est devenue l'une des femmes les plus riches de Chine dans les années 1990, période durant laquelle son statut social lui a permis d'intégrer des instances politiques chinoises. Elle choisit de défendre la cause de son peuple « de l'intérieur » en critiquant ouvertement la politique du pouvoir central. Jugée et emprisonnée en 1999, libérée en 2005 après plusieurs années de travail forcé dans l'atelier de couture d'un camp, elle vit aujourd'hui aux États-Unis.

Je l'ai rencontrée dans le cadre de cette enquête. Mme Kadeer m'a confirmé le fait que des prisonniers politiques sont contraints de participer aux récoltes des tomates d'industrie au Xinjiang et qu'ils ne sont pas les seuls détenus à effectuer des travaux aux champs.

« Le Xinjiang est la région chinoise qui compte le plus grand nombre de Laogai du pays, m'expose-t-elle. Les directeurs des camps sont de véritables chefs d'entreprise, exploitant leurs détenus comme de la main-d'œuvre, grâce à laquelle sont produites des marchandises d'exportation. Il est fréquent que des prisonniers soient employés pour accomplir des travaux agricoles ou de transformation industrielle[1]. »

Au Xinjiang, j'ai pu vérifier cette information. Il ne s'agit pas d'un mensonge de la propagande antichinoise. Si le recours aux forçats pour la récolte de la tomate n'a jamais été reconnu par aucun officiel de l'industrie rouge, un producteur de tomates chinois, un Han du Xinjiang, m'a confirmé que, par le passé, il avait lui-même eu recours à cette main-d'œuvre, des prisonniers, pour la récolte de son champ – ses tomates étaient ensuite transformées en usine, puis achetées sous forme de concentré par des multinationales de l'agrobusiness.

Du temps de l'Union soviétique, les goulags étaient régulièrement dénoncés par des intellectuels. Aujourd'hui encore, sur n'importe quel plateau de télévision, l'évocation du Goulag permet de clore toute conversation ayant pour thème

---

1. Entretien avec Rebiya Kadeer, 10 juillet 2016.

« le communisme ». Pourtant, c'est étrange : aujourd'hui en Chine, le Goulag continue d'exister, mais il ne fait l'objet d'aucune polémique. Est-ce parce que, entre-temps, il a changé de camp ? Les camps chinois, les Laogai, se sont avérés parfaitement solubles dans le capitalisme globalisé : ils fournissent de la main-d'œuvre aux sous-traitants de fournisseurs de grandes multinationales prêtes à tout pour réduire leur « coût du travail ». La Chine ne publie aucun chiffre officiel à propos des Laogai. Selon plusieurs ONG, ce travail forcé concernerait quatre millions de personnes.

Le journaliste Hartmut Idzko, longtemps correspondant en Asie de la première chaîne allemande publique ARD, a réalisé un film documentaire pour Arte sur les camps de travail chinois : « Les camps de travail contribuent massivement à l'économie du pays. C'est un marché qui se chiffre en milliards. Souvent, il s'agit d'usines modernes que les Européens viennent visiter, où ils peuvent passer commande directement. Mais, derrière le bâtiment, ils ne voient pas la prison dans laquelle la marchandise est produite : guirlandes de Noël, emballages pour l'industrie pharmaceutique, vêtements, animaux en peluche, pièces de machines… Beaucoup de produits chinois bon marché vendus dans nos magasins ont été fabriqués dans un camp de travail[1]. »

En Europe, dont l'économie est devenue dépendante des exportations chinoises, cette situation

1. Interview de Hartmut Idzko, www.arte.tv, 1er septembre 2015.

d'exploitation des travailleurs forcés est extrêmement peu médiatisée. Toujours est-il que ces camps de travail fournissent de la main-d'œuvre agricole et que la Chine exporte des denrées et des matières agricoles dans le monde entier : des marchandises, parfois souillées par l'ignominie, qui parviennent jusqu'aux galeries marchandes occidentales, ainsi que dans nos assiettes.

IX

Une main-d'œuvre quasi gratuite. L'arrivée sur le marché mondial d'un concentré chinois ultra-compétitif. Des Napolitains avides de pâte premier prix. Des décideurs chinois pressés d'industrialiser le Xinjiang, de « valoriser » le territoire et de se remplir les poches. Une demande mondiale pour la tomate d'industrie en augmentation de 3 % par an. Des constructeurs d'usines bien décidés à vendre beaucoup d'équipements... Tous les ingrédients étaient réunis pour que la mécanique s'emballe, pour que la filière chinoise connaisse une ascension fulgurante ; que la Chine surproduise, se suréquipe massivement en usines. Et c'est exactement ce qu'il s'est passé.

Chapitre 10

I

C'est en voyageant à bord du jet de la Heinz Company que Henry Kissinger se rend pour la première fois en Irlande le 30 juin 1983.

Ancien international de rugby sous les couleurs du XV irlandais, milliardaire et propriétaire de médias, Tony O'Reilly était à l'époque le directeur général de la Heinz Company. Quelques années plus tard, en 1987, à la mort de Henry John « Jack » Heinz II, petit-fils du fondateur Henry J. Heinz, il deviendrait le PDG de la multinationale. C'est lui qui reçoit l'ancien secrétaire d'État dans son château de Castlemartin, à Kilcullen, luxueuse demeure entourée de trois cents hectares. Lors de promenades en tête à tête dans les jardins du château, O'Reilly et Kissinger s'entretiennent. Ils opèrent un tournant géopolitique majeur dans l'histoire de l'agro-industrie.

Henry Kissinger vient de quitter l'Administration américaine. Depuis un an, il est à la tête de sa toute nouvelle société, Kissinger Associates. Fondée avec l'appui de grandes banques, notamment Goldman Sachs, Kissinger Associates est une société de conseil pour les entreprises spécialisées dans les relations et négociations de contrats entre firmes multinationales et gouvernements. Il a été conseiller à la Sécurité nationale de 1969 à 1975, sous l'administration Nixon et nommé secrétaire d'État le 22 septembre 1973. Plusieurs années après la fin de ses fonctions au Secrétariat d'État (1977), il a encore ses entrées dans les présidences, les chancelleries, les ministères et dispose toujours d'un solide carnet d'adresses. Par le biais de son entreprise Kissinger Associates, il entend désormais monnayer ses réseaux d'influence auprès de grandes multinationales[1].

En l'invitant à faire le voyage d'Irlande, Tony O'Reilly s'adresse à l'homme qui a noué des relations secrètes avec la Chine à partir de juin 1971 et préparé la visite officielle du président Richard Nixon, qui surprendrait le monde entier en 1972 : le tout premier déplacement officiel d'un président états-unien en Chine maoïste. O'Reilly partage avec lui ses préoccupations : les produits Heinz ne sont proposés et accessibles qu'à 15 % de la population mondiale – l'Amérique du Nord, l'Australie et l'Europe. Le directeur général du géant du ketchup a une obsession : étendre son réseau commercial, être le premier à faire du business dans

1. Leslie H. Gelb, « Kissinger means business », *New York Times*, 20 avril 1986.

des pays réputés inaccessibles. La Chine est l'un de ces pays. Kissinger peut l'aider à s'implanter en Chine, dans le pays orienté vers le développement sous l'impulsion de Deng Xiaoping.

Dès son retour aux États-Unis, le diplomate se met au service de Heinz. Il organise l'arrivée de la multinationale en Chine. L'année suivante, en 1984, Heinz conclut un accord de joint-venture avec une usine chinoise dans la province de Guangdong : il y sera produit de la nutrition pour les enfants en bas âge. Le *deal* ne prend que sept mois. L'usine ouvre en juin 1986. Son inauguration se fait en grande pompe, elle rassemble officiels du Parti communiste chinois et dirigeants de la multinationale nord-américaine : les photos de l'événement montrent Henry John « Jack » Heinz II, petit-fils du fondateur de la Heinz Company, et Tony O'Reilly, son successeur, entourés pour l'occasion d'une foule d'enfants chinois agitant des ballons estampillés du logo de la Heinz Company. La population locale, quant à elle, porte ce jour-là des uniformes maoïstes et des chapeaux griffés « Heinz ».

Deux ans plus tard, l'usine chinoise a triplé de taille. Heinz est la toute première multinationale occidentale à diffuser de la publicité à la télévision chinoise ; elle est aussi la première entreprise à se lancer dans la vente et la distribution de denrées alimentaires labellisées de la marque d'un pays capitaliste. Dès 1990, moins d'un an après la répression des manifestations de la place Tian'anmen, Heinz commercialise déjà ses produits à travers la moitié du pays. Une fois encore, la multinationale se trouve aux avant-postes de l'histoire du capitalisme.

II

La vague néolibérale des années 1980 a répandu la doctrine du libre marché et, sous l'influence de la nouvelle idéologie dominante, de nombreux gouvernements de pays industrialisés ont dérégulé leur économie et « libéré » les activités financières. La financiarisation de l'économie transforme bientôt en profondeur les systèmes de production et du crédit, tant au niveau national qu'au niveau mondial. Si, en 1962, le secteur financier représentait environ 16 % du produit national des États-Unis et son secteur manufacturier près de 49 %, quarante ans plus tard, la part de la finance atteint 43 % et celle de son industrie seulement 8 %. Acquis aux thèses néolibérales, le patron de Heinz Tony O'Reilly a très tôt adopté la nouvelle vision. Il a été à ce titre un patron emblématique des années 1980. Il a plus qu'accompagné la révolution néolibérale et la *globalization*, il les a mises en œuvre.

Ami personnel du président Ronald Reagan, O'Reilly offre au néolibéralisme sa touche de ketchup[1]. Une sauce qui faillit prendre, sous la

---

1. Andrew F. Smith, *Pure Ketchup : A History Of America's National Condiment*, Columbia, University of South Carolina Press, 2011.

présidence Reagan, la qualification de « légume ». L'administration Reagan ayant réduit de 27 milliards de dollars les programmes sociaux du budget de l'année 1982, les fonds affectés à la restauration scolaire sont amputés d'un milliard de dollars. Afin de réaliser cette coupe, le secrétaire de l'Agriculture des États-Unis évoque le 3 septembre 1981 l'idée de faire passer le statut du ketchup de « condiment » à « légume », et ce afin de permettre aux cantines scolaires de retirer de la nourriture des enfants une portion de légumes frais ou cuits. L'idée suscite un immense tollé et n'est finalement pas retenue, ce qui n'empêche cependant pas à la pizza d'être aujourd'hui considérée, dans les menus scolaires américains, comme un « légume ».

« Tony est encore un enfant, il a seulement cinquante ans, mais de la façon dont je vois les choses, d'ici quelques années, il sera suffisamment âgé pour faire campagne », déclare Ronald Reagan depuis la Maison-Blanche dans un message vidéo adressé en 1986 à un club d'entrepreneurs américano-irlandais. Lors du second mandat de Reagan, le camp républicain songe à intégrer Tony O'Reilly dans le cabinet présidentiel et à le nommer secrétaire du Commerce. « Tony est un grand américano-irlandais, un homme qui a gagné pour lui la reconnaissance des deux côtés de la mer d'Irlande. Nous tous avons une dette [envers lui] pour le travail qu'il a accompli, que ce soit dans sa carrière internationale de joueur de rugby, son implication dans un grand nombre de médias ou dans le business international », ajoute Reagan dans son message.

L'arrière-petit-fils du fondateur du géant du ketchup, Henry John Heinz III, a été quant à lui une autre figure de proue du Parti républicain : élu à la Chambre des représentants de 1971 à 1977, il siège au Sénat à partir de 1977. À sa mort, en 1991, dans un accident d'avion[1], le président républicain George H. W. Bush se rend en personne à la cérémonie de ses funérailles, il se recueille dans la « Heinz Chapel », une église de style gothique du centre-ville de Pittsburgh. Sa dépouille repose désormais dans le mausolée familial, aux côtés de celles de son arrière-grand-père Henry J. Heinz, de son grand-père Howard Heinz et de son père, Henry John « Jack » Heinz II.

III

Bien qu'une part d'ombre continue d'entourer les services qu'a vendus la société de conseil Kissinger Associates à Heinz dans les années 1980, Tony O'Reilly a cependant déclaré au *New York Times* en 1986 que Henry Kissinger avait introduit la firme en Côte d'Ivoire ; il lui a per-

1. La veuve du sénateur Heinz, Teresa Heinz, s'est depuis remariée en 1995 avec John Kerry, 68e secrétaire d'État des États-Unis d'Amérique.

mis de rencontrer personnellement le président Félix Houphouët-Boigny. C'était un an seulement après le joint-venture liant Heinz et la République du Zimbabwe[1] dans le cadre d'un accord conclu entre Tony O'Reilly et Robert Mugabe[2], alors Premier ministre. « Nous considérons Heinz comme un important partenaire, ainsi qu'un exemple à suivre pour d'autres investisseurs étrangers. Nous sommes très heureux que Heinz vienne au Zimbabwe avec une perspective de développement, s'enthousiasmait jadis Robert Mugabe, car cela contribue à l'amélioration du niveau de vie d'une large population dans notre pays. »

Tony O'Reilly partage le même sentiment : « Notre expérience au Zimbabwe est excellente, dit-il à cette époque. [...] Nous sommes heureux de cet investissement, ainsi que de la voie constructive et solidaire du gouvernement qui a accompagné Heinz. »

En 1992, le chiffre d'affaires de la multinationale est ainsi ventilé : 64 % en Amérique du Nord, 28 % en Europe et 8 % pour le reste du monde. L'entrée de Heinz sur les marchés intérieurs russes, chinois et thaï s'est accompagnée de grands séminaires « scientifiques » organisés par le Heinz Institute of Nutritional Sciences[3].

---

1. *Ibid.*
2. « Heinz Goes It Alone in Zimbabwe », *New York Times*, 27 février 1989.
3. Rapport « Heinz Company », Centre for Research on Multinational Corporations (SOMO), 1993.

Des scientifiques et des représentants des administrations de la santé publique participent à ces congrès dont les objectifs sont de parer Heinz d'une aura de respectabilité scientifique. Image qui, en parallèle, est construite par la Heinz Company Foundation Distinguished Lecture, qui organise de grandes conférences internationales. Des hommes d'État, rémunérés pour leur communication, se pressent à ces manifestations qui promettent du prestige. Nelson Mandela a été l'un de ces conférenciers.

Pour autant, bien que le site Internet de la branche chinoise de la Heinz Company donne aujourd'hui à lire une frise chronologique en forme de girafe pour bébé, présentant à l'internaute sa glorieuse histoire officielle, les nombreuses dates des promesses non tenues par Heinz en sont absentes. Après avoir procédé à des tests sur la nourriture Heinz dans un laboratoire allemand en 2006, Greenpeace déclara, par exemple, avoir découvert du riz OGM illégal dans des farines Heinz produites dans l'usine de Guangzhou, la ville hébergeant le siège chinois de la multinationale. Ces farines étaient selon Greenpeace une première mondiale : c'était la toute première fois au monde qu'un OGM était détecté dans de la nourriture destinée aux nourrissons[1]. Dans un communiqué, Heinz répondit à l'ONG que, après avoir procédé à ses propres tests, aucune trace d'OGM n'avait été détectée

1. Greenpeace, « Illegal genetically engineered rice found in Heinz baby food in China », 14 mars 2006.

dans ce produit, tout en confessant que la firme n'était pas en mesure d'indiquer la provenance du riz en question. Deux ans plus tard, en 2008, au cœur du scandale du lait frelaté ayant tué de nombreux bébés chinois, Heinz Chine était frappé de plein fouet, après d'autres géants de l'agro-alimentaire. Les autorités chinoises annoncèrent avoir découvert dans des produits Heinz destinés aux nourrissons des taux de mélamine supérieurs à la norme autorisée[1]. Heinz avait aussitôt décidé de rappeler les lots de nourriture pour bébés portant des traces de mélamine, puis avait déclaré ne plus s'approvisionner en poudre de lait chinoise. Près de 94 000 cas d'intoxication à la mélamine ont alors officieusement été recensés par l'agence Reuters, Pékin ayant pour sa part méthodiquement censuré l'un des scandales les plus emblématiques des dérives du modèle agro-industriel chinois. En 2013, les autorités chinoises ont contraint Heinz à procéder à de nouveaux rappels de produits destinés aux bébés, cette fois pour une contamination au mercure de ses produits[2]. En 2014, Heinz retirait cette fois du marché chinois, suite à un contrôle des autorités sanitaires, d'autres aliments pour nourrissons qui avaient une teneur excessive

1. L. Bollack, « Lait contaminé : Heinz décide de ne plus s'approvisionner en lait chinois », *Les Échos*, 30 septembre 2008 ; « Mélamine découverte dans de la nourriture pour bébés Heinz », 7sur7.be, 27 septembre 2008.
2. Sally Appert, « Chine : Niveau de mercure trop élevé, retour à l'usine d'aliments pour enfant », *Epoch Times*, 7 mai 2013.

en plomb[1]. Les grands séminaires scientifiques pontifiants sur la sécurité alimentaire avaient fait long feu.

IV

Au milieu des années 1970, simultanément à son développement à l'international, la firme choisit de réduire de manière draconienne le nombre de ses sites de production, que ce soit aux États-Unis, au Royaume-Uni ou en Australie : il est divisé par deux entre 1975 et 1980, période durant laquelle des milliers de licenciements font chuter le nombre d'emplois (Heinz procède à la suppression de près d'un emploi sur cinq[2]). La direction opte alors pour une production « à moindre coût », et ce quel que soit le coût social. Heinz concentre sa production sur des sites toujours plus grands, des méga-usines. C'est une rupture radicale avec la politique paternaliste des premiers temps.

En 1982, Heinz réalisait un chiffre d'affaires de 3,7 milliards de dollars avec 36 600 employés. Dix ans plus tard, le capital avait un rendement toujours plus fort, avec toujours moins de travail : en 1992, chez Heinz, 35 500 employés

1. « Heinz retire des aliments pour nourrissons en Chine après une possible contamination au plomb », *L'Usine nouvelle*, 19 août 2014.

2. Rapport « Heinz Company », Centre for Research on Multinational Corporations (SOMO), 1993.

réalisaient un chiffre d'affaires de 6,6 milliards de dollars. Les années 1991 et 1992 furent celles d'une autre grande restructuration chez Heinz : son retrait du secteur des matières premières. Ses usines produisant de l'amidon de maïs, du glucose ou de l'isoglucose furent cédées ; pour les remplacer, un réseau mondial d'achat centralisé des matières premières fut alors créé au sein de la compagnie, avec, pour objectif, d'acheter les matières premières requises à la production au prix le plus bas[1]. Comme dans le cas du concentré de tomates.

Un bureau unique de décision disposant de réseaux d'information et du pouvoir de négocier centralise désormais l'achat des matières premières. Parallèlement à la compression des coûts consentis par toute l'entreprise, le budget marketing explose littéralement : de 200 millions de dollars en 1992, il passe à 1,2 milliard annuellement, soit 18 % du chiffre d'affaires. Le budget marketing a pourtant été considérable tout au long de l'histoire de Heinz, mais il atteint un sommet en 1992.

« Nous avons fait de Heinz une prodigieuse entreprise totalement globalisée, s'enorgueillit aujourd'hui Tony O'Reilly. Nous avons construit des stratégies à l'échelle globale et Heinz doit désormais poursuivre ses efforts afin que ses marques soient le premier choix des consommateurs du monde entier, et ce partout sur la planète. Aujourd'hui, et pour toutes les générations à venir. »

---

1. *Ibid.*

De 1983 à 1993, quiconque réinvestissait les dividendes annuels de ses actions Heinz dans de nouvelles actions Heinz réalisait une augmentation de son capital de 20,6 % par an[1]. Soit 551,5 % sur dix ans... « L'histoire de Heinz est instructive et stimulante, considère Henry Kissinger. Le leadership de Tony O'Reilly est un cas d'école de ce qu'est un bon management. Alors que de plus en plus de nouvelles générations de consommateurs arrivent sur le marché mondial, Heinz demeure un idéal durable, riche de promesses[2]. »

---

1. *Ibid.*
2. Eleanor Foa Dienstag, *In Good Company : 125 Years at the Heinz Table, op. cit.*

The Sun is but a Morning Star.
Henry David Thoreau, *Walden* (*or* Life in the Woods), *1854.*

Panneau de l'usine Morning Star,
Williams, Californie.

Chapitre 11

I

Williams, comté de Colusa, Californie, États-Unis

Stratégiquement construit le long d'une voie ferrée, le site industriel est annoncé par un haut mur de caisses de bois, d'un mètre cube environ, contenant pour chacune d'elles une poche aseptique d'une tonne courte[1] de concentré de tomates. Depuis la route qui permet d'accéder à l'usine, l'alignement de ces caisses en attente d'expédition s'étire à perte de vue, sur plusieurs kilomètres. À l'entrée, c'est le spectacle d'un ballet incessant d'énormes camions tractant des doubles bennes de tomates. Des cabines de poids lourds abandonnent leurs énormes remorques. D'autres s'en emparent. Dans cette ruche, ce sont les monstrueux camions nord-américains qui bourdonnent.

---

1. *Short ton*, ou « tonne courte » : unité de mesure utilisée aux États-Unis. Elle représente 2 000 livres, soit 907,18 kg.

L'automobile de Chris Rufer les dépasse et pénètre sur le parking des employés, où sont garés d'énormes pick-up. L'homme est grand, sec, avec un regard d'un bleu profond qui paraît toujours en train de calculer quelque chose. Ses bottes noires épuisées n'indiquent pas qu'il a fait fortune. Le magnat de la tomate est l'homme le plus puissant de la filière mondiale. Son entreprise, la Morning Star Company, produit 12 % du concentré de tomates mondial : elle est le numéro un de l'industrie rouge. À elle seule, la firme couvre 40 % des besoins des États-Unis en concentré de tomates industriel, ainsi qu'en tomates en dés. La Morning Star réalise 700 millions de dollars de chiffre d'affaires annuel, avec seulement 400 employés et trois usines. Les trois usines les plus puissantes au monde, dont les capacités cumulées permettent de transformer plus de 2 500 tonnes de tomates à l'heure. Deux usines se trouvent dans la vallée de San Joaquin, dans le comté de Merced, à Los Banos et à Santa Nella, au sud de la vallée centrale de la Californie – l'une des plus importantes zones d'agriculture intensive de la planète. La troisième, la plus grande usine du monde, est ici, à Williams, au nord de la vallée centrale, non loin de Sacramento.

Après m'avoir remis le casque réglementaire et une blouse blanche, le patron ouvre la marche, longe d'immenses cuves argentées, progresse dans l'usine, emprunte un grand escalier métallique, ouvre une porte donnant sur un immense ciel azur. Le site industriel est titanesque. Dans l'usine Morning Star de Williams, la ligne de production débute au sommet d'une butte artificielle par la station de déchargement des tomates. Si l'on prenait le temps de l'observer de loin à la jumelle, elle semblerait un jouet pour enfant, plus précisément l'un de ces garages où de petites voitures guidées par des mains expertes gravissent d'abord plusieurs étages ; après quoi, une fois arrivés au sommet de la structure, et selon le scénario consacré, les petits véhicules dévalent en tire-bouchonnant la rampe du toboggan de sortie.

Ici, les camions empruntent une route à sens unique, tractent leurs bennes de tomates jusqu'au sommet de la butte artificielle, entrent dans la station de déchargement. Sitôt le camion garé sur un emplacement réglementaire, des canalisations rectangulaires mobiles, soutenues par des câbles, s'affalent sur les bennes. Simultanément, leurs trappes latérales sont ouvertes par un ouvrier. Un autre travailleur, posté sur la plateforme surélevée qui permet d'observer le bon déroulement de l'opération, actionne le système hydraulique en pressant une commande. À ce poste, en Californie, contrairement aux usines italiennes ou chinoises, le déchargement des tomates a été automatisé. Le travailleur posté sur la plateforme n'exerce qu'un contrôle. Il ne tient pas lui-même une lance à eau, comme c'est le cas ailleurs sur la planète. La méthode a été inventée par un entrepreneur que l'on peut, sans flagornerie, qualifier de Henry Ford de la tomate : Chris Rufer.

« Vider les camions avec une lance à eau ? Cette manière de faire appartient au passé. Elle était beaucoup trop lente ! » m'explique-t-il depuis la plateforme, en m'adressant l'un de ces sourires que l'on croirait tirés d'une publicité pour du dentifrice. « J'ai conçu moi-même cette usine[1]. »

Pour devenir le numéro un mondial de cette industrie et y faire fortune, l'entrepreneur a organisé une chasse aux coûts méthodique et fait automatiser le plus grand nombre possible de tâches. Il a cherché par tous les moyens à augmenter la productivité de son usine, en supprimant le plus grand nombre possible de « tâches inutiles » – le plus grand nombre possible de postes de travail.

« Dans cette usine, avant même que les camions n'arrivent à la station de déchargement, nous commençons à les remplir d'eau. Cela nous permet d'économiser quinze secondes par camion. » Et Chris Rufer de calculer très vite pour moi le gain de temps réalisé : en économisant quinze secondes par déchargement de camion, son entreprise économise, sur ce seul poste, sept minutes par heure, soit « l'équivalent d'une journée de travail par saison », ajoute-t-il. Cette technique, ce remplissage anticipé des bennes, n'est qu'un exemple d'économie parmi beaucoup d'autres dans l'usine. Tous les gestes, tous les travailleurs, tous les postes nécessaires à la transformation des tomates ont été analysés par Chris Rufer, digne descendant des ingénieurs concepteurs de l'organisation scientifique du travail. Aujourd'hui, ses usines sont les plus compétitives de la planète. Pour autant, cela ne fait pas la fierté du patron de la Morning Star :

1. Entretien avec Chris Rufer, 27 août 2016.

« Je suis un obsessionnel. Je pense que nous pouvons faire encore beaucoup mieux. Plus j'observe, plus je trouve des défauts. Il y a encore beaucoup de choses à arranger, et beaucoup d'autres à améliorer. Je crois que nous ne faisons pas si bien. Nous pouvons faire encore beaucoup, beaucoup mieux. »

Des trombes inondent les bennes. Par la force du torrent, la masse des tomates se creuse, s'échappe par les trappes, déferle vers les « rivières ». D'innombrables tomates luisent, s'entrechoquent, rebondissent, se retrouvent emportées par le courant dans l'usine, vers le vacarme des machines.

« À elle seule, la Morning Star transforme autant de tomates que la Chine ou l'Italie », me dit le trader uruguayen Juan José Amezaga, l'un des plus importants négociants de l'industrie rouge. Le trader, par le passé, a travaillé pour la Morning Star, dont il commercialisait le concentré californien en Europe. « La Morning Star ne reçoit pas la moindre subvention publique et cela ne l'empêche pas d'être la plus compétitive au monde, ajoute-t-il. Pour ce qui est de l'industrie de la tomate, si l'on compare le modèle chinois ou européen au modèle californien, on réalise très rapidement que le modèle californien, entièrement structuré à partir du principe des économies d'échelle, est le bien mieux armé pour faire face à la guerre économique que se livrent les différents blocs commerciaux. Et c'est pourquoi les deux autres modèles, européen et chinois, cherchent à s'inspirer du modèle californien. » Autrement dit, le modèle de Chris Rufer. C'est la dernière évolution en date. Le directeur de la branche tomate de Cofco Tunhe, Yu Tianchi, ne dit pas autre chose : « En Chine, nous adoptons jour après jour le modèle californien, car c'est le modèle le plus productif, le plus compétitif. »

Leurs bennes vidées, les camions glissent à très vive allure sur la voie de sortie à sens unique, puis ils disparaissent sur une route lointaine, en direction d'un champ de tomates. D'autres prennent leur place. Il en est ainsi de jour comme de nuit, vingt-quatre heures sur vingt-quatre, cent jours par an. La circulation des véhicules est ininterrompue, car l'usine de Williams est approvisionnée en tomates à flux tendu, qui déboulent sur la chaîne de transformation. Tout au long de leur parcours, ici aussi, les tomates vont être pelées, épépinées, chauffées, broyées, faire l'objet d'un processus d'évaporation. Les déchets finiront dans une benne, comme aliment pour le bétail. Après extraction de l'eau des fruits, le concentré de tomates est prêt à être conditionné dans une poche aseptique stérilisée, qui épousera les formes d'un contenant plus robuste, adapté aux transports par conteneur. Aux États-Unis, il ne s'agit pas d'un baril bleu d'un quart de tonne, de la taille d'un baril de pétrole, mais le plus souvent d'une caisse de bois d'environ un mètre cube. Les contenants diffèrent, mais le procédé et la finalité sont exactement les mêmes. C'est grâce à de tels cubes de concentré que les Nord-Américains peuvent se délecter de ketchup Heinz, de soupes Campbell ou de pizzas Domino's.

II

Fruit de décennies de recherches acharnées, le conditionnement aseptique optimal a été inventé par la Heinz Company. Avec cette invention, la tomate a pu devenir une authentique matière première : du baril pour trader. L'invention du conditionnement aseptique a accéléré la mondialisation de la tomate, en permettant sa conservation, son transport d'un port du globe terrestre à un autre. Cette norme adoptée par tous a rendu caduc l'usage contraignant et fastidieux de grosses boîtes de conserve métalliques, dont les défauts étaient nombreux. Avant la « révolution aseptique », les usines Heinz, comme celle de Leamington en Ontario (Canada), transformaient des tomates en concentré durant l'été, puis conservaient le concentré dans d'immenses cuves afin de permettre une production de ketchup tout au long de l'année. C'est en 1950 qu'un employé canadien de la Heinz Company imagina une autre solution[1]. Il utilisa le système de suggestion par fiche mis en place dans son usine : il rédigea une note suggérant qu'il était peut-être possible d'utiliser les techniques de conditionnement des produits liquides de l'industrie pharmaceutique pour transporter du concentré de tomates. Un ingénieur

1. Eleanor Foa Dienstag, *In Good Company : 125 Years at the Heinz Table*, *op. cit.*

découvrit la fiche, l'idée était judicieuse, il rassembla des spécialistes pour plancher. L'année suivante, en 1951, l'usine Heinz de Leamington au Canada testa une machine capable de remplir ou de vider un fût de concentré, ainsi que les premières poches aseptiques. Ce prototype était en mesure de pomper deux gallons[1] de concentré à la minute. Trois décennies plus tard, la cadence était multipliée par cent.

En 1968, année de l'invention par Heinz de la dosette individuelle de ketchup distribuée en *fast-food*, la production de ketchup Heinz était déjà pour moitié réalisée, non plus à partir de tomates fraîchement récoltées et transformées en début de chaîne de production, mais à l'aide de concentré de tomates stocké dans des barils aseptiques ou en cuve. Le baril et la caisse aseptiques offraient une flexibilité nouvelle : ils permettaient aux industriels de délocaliser autant que nécessaire la culture des tomates d'industrie. Lorsque l'usage du concentré comme ingrédient du ketchup et d'autres sauces devint, dans les années 1970, la seule et unique norme au sein de la Heinz Company, la firme était entre-temps devenue l'une des plus grandes multinationales de l'alimentaire industriel, mais aussi la référence mondiale de la production de concentré de tomates.

En 1980, l'usine Heinz de Stockton en Californie ne conditionnait plus qu'en baril le concentré. Ce fut la première ligne de transformation au monde à être totalement dissociée des lignes de production

1. Un *gallon* US : 3,78 litres.

« traditionnelles », dont sortaient des bouteilles de ketchup, des sauces ou des soupes en boîte durant l'été. Cette usine Heinz était exclusivement dédiée à une seule et même production dans un unique conditionnement : du baril d'or rouge. Les grandes multinationales telles que la Heinz Company ou la Campbell's Soup transformaient par le passé elles-mêmes la totalité des tomates qui entraient dans la composition de leurs produits finis. Désormais, elles utiliseraient du concentré conservé en baril, qu'elles l'aient produit ou non. Aujourd'hui, « logiquement », tout le secteur de l'agrobusiness préfère se fournir directement en tomates transformées auprès d'un « premier transformateur », tels que les Californiens Morning Star, Ingomar ou Los Gatos, avec leurs prix imbattables. C'est pourquoi la Morning Star vend son concentré à de nombreuses multinationales.

Le baril aseptique permit d'adapter la tomate d'industrie à la nouvelle donne néolibérale dans la globalisation en lui conférant une extrême fluidité de circulation.

III

« La science découvre les lois de la nature que l'industrie applique pour atteindre le bonheur humain, l'harmonie et la prospérité », proclame une affiche de l'usine Morning Star, à Williams. Son modèle a été entièrement élaboré à partir d'un principe : faire des économies d'échelle, de manière à obtenir la plus forte baisse possible du coût unitaire du produit, tout en augmentant la quantité produite. La Morning Star est aujourd'hui à même de proposer aux multinationales de l'agrobusiness des prix qu'aucune compagnie commercialisant des sauces ou des soupes, individuellement, ne serait en mesure d'obtenir. La seule usine de Williams transforme 1 350 tonnes de tomates par heure, vingt-quatre heures sur vingt-quatre, cent jours par an. Véritable ville métallique, digne d'un roman de science-fiction, l'usine est un immense dédale de cuves, de canalisations et de tuyauteries en tout genre. On y trouve une incroyable diversité d'instruments, manomètres, manivelles, pistons, robinets, caméras de contrôle et écrans d'ordinateurs. On s'attendrait à y voir des employés, mais non, elle est vide ou presque. On peine à y croiser des travailleurs : la plupart des postes d'ouvriers et de cadres ont été supprimés, remplacés par des ordinateurs. La plus grande usine au monde de transformation de tomates tourne avec seulement soixante-dix ouvriers par rotation. « Je suis un anarchiste. C'est pourquoi il n'y a plus de chefs au sein de la Morning Star. Nous avons adopté l'autogestion », me précise-t-il. Une « autogestion » qui ne prévoit pas que les travailleurs contrôlent le capital de l'entreprise. Au sein des usines Morning Star à la pointe de la technologie, même les *managers* ont disparu : Chris Rufer a redéfini et rationalisé l'ensemble des tâches. Les travailleurs n'ont donc plus qu'à se débrouiller eux-mêmes pour se répartir les dernières, celles qui échoient encore à des êtres humains.

Dans la salle de contrôle, une vaste pièce aux murs entièrement couverts d'écrans, deux jeunes femmes assises sur leurs chaises scrutent des chiffres. « Vous avez vu ? s'amuse Chris Rufer, ces deux filles, en contrat de saison, contrôlent l'usine entière ! Si elles ont un problème, elles appellent Jimmy, mais ce sont elles les directrices de l'usine ! »

Cette automatisation poussée à l'extrême est un choix de Chris Rufer, qui découle de sa vision du monde, de ses idéaux et de ses options politiques : il est libertarien. Il œuvre à l'avènement de son utopie, une planète Terre où les États auraient disparu, où le capitalisme, la propriété privée des moyens de production, le libre-échange, la science et l'agriculture intensive auraient accouché d'une société où les machines travailleraient à la place des hommes.

Au sommet des trois usines de la Morning Star flotte une bannière comptant treize étoiles. « Ce drapeau est tout à fait légal, c'est un drapeau des États-Unis. C'est le drapeau révolutionnaire », s'enthousiasme Chris Rufer. Il s'agit du témoin des origines : le tout premier drapeau des États-Unis d'Amérique, dont la première élite se composait de négociants, d'armateurs et de planteurs. Utilisée à partir de 1777, en pleine guerre d'Indépendance, un an seulement après la célèbre Déclaration, la bannière compte treize étoiles, symbole de l'union des treize colonies libérées du joug britannique.

« L'usine bat ce pavillon parce que j'aimerais voir les États-Unis revenir aux bonnes valeurs selon lesquelles on ne doit pas nuire aux gens, ou les voler, que ce soit par un gouvernement ou par un système de vote majoritaire. C'est parce que je suis libertarien que ce drapeau flotte, je souhaite qu'il continue de nous inspirer. Il rappelle à tous d'où nous venons », me dit Chris Rufer.

Aux États-Unis, Chris Rufer est une importante figure de proue du libertarianisme. Le nom de la Morning Star vient d'un vers de Henry David Thoreau, dont Chris Rufer admire les idées individualistes. Le libertarianisme, « philosophie politique » née du libéralisme, a pour piliers fondamentaux la défense absolue du marché libre et sans entrave aucune ; la propriété privée de la terre et des moyens de production ; ainsi que la « liberté individuelle ». Aucune institution, et surtout pas l'État, ne doit venir s'opposer au désir des individus d'entreprendre et de s'organiser comme ils l'entendent.

Tous les libertariens s'accordent pour rejeter les interventions de l'État, qu'il s'agisse des domaines économique, social ou militaire. Toutes les régulations, à commencer par l'impôt, le droit du travail ou les normes environnementales, sont considérées par les libertariens comme nuisibles aux intérêts de l'individu, à son droit sacré à la propriété privée, que rien ne doit entraver ni contraindre. Aux États-Unis, le plus connu des journaux libertariens, *Reason Fondation*, dont le slogan est « Esprit libre et libre marché », publie un « Rapport annuel des privatisations » afin de traquer les dernières « poches » de services publics qui échappent encore au « libre marché » : ces vestiges sont dénoncés comme devant être éliminés.

Les libertariens appellent de leurs vœux la privatisation totale de l'économie. Pour certains d'entre eux, l'armée, la police, les pompiers ou le corps des gardes forestiers devraient être remplacés par des milices privées, dont chacun aurait la liberté de s'attacher ou non les services en fonction de ses besoins.

Bien que bon nombre d'entre eux aient des affinités avec le Parti républicain, ces fondamentalistes libéraux ne sont pas des conservateurs : ce sont des industrialistes et des individualistes qui considèrent que la « liberté de l'individu » doit être totale, sans limite ni contrainte. Qu'il s'agisse de posséder ou d'utiliser une arme à feu ; de consommer et de commercialiser des drogues ; de faire commerce de son corps ou d'avoir recours à la prostitution ; de licencier des salariés ; ou, pour le propriétaire d'un terrain, d'y débuter une activité d'extraction minière, y compris si cette dernière est fortement polluante, aucune restriction ne doit être imposée à celui qui entreprend ou développe une activité. La « liberté individuelle » est pour les libertariens un principe sacré, dont le droit à la propriété privée est un prolongement naturel. Cette idéologie opposée à toute forme d'étatisme se structure autour d'une défense inconditionnelle du capitalisme. Suivant le précepte de la romancière Ayn Rand, les libertariens tiennent que « l'égoïsme est une vertu ».

Chris Rufer est un influent donateur du Parti libertarien. En 2016, il a versé un million de dollars à la campagne de Gary Johnson, troisième homme de l'élection présidentielle américaine, qui a réalisé le score, historique pour le Parti libertarien, de près de 4,5 millions de voix, soit 3,29 %.

Le jour de ma visite de l'usine de Williams, lors du déjeuner avec Chris Rufer chez Granzella's – un bar pour cow-boys décoré d'ours et de cobras empaillés, où l'on vend des affiches pro-armes et des casquettes brodées du slogan de Donald Trump « Rendre à l'Amérique sa grandeur » –, le magnat de la tomate m'a fait part de son admiration pour le fondateur de l'École de Chicago, l'économiste Milton Friedman, qu'il connaissait personnellement :

« Je l'ai rencontré plusieurs fois, car nos épouses étaient amies. Milton Friedman était quelqu'un d'exceptionnel et je dois dire que j'ai rarement connu une personne aussi profonde. »

IV

Los Banos, comté de Merced, vallée de San Joaquin, Californie

Dans le champ immense s'étirent à perte de vue des buissons au feuillage sombre. Les fruits sont arrivés à maturité, ils sont très rouges. Tandis qu'il se rapproche, le bruit assourdissant ne cesse de gagner en puissance. L'énorme récolteuse vocifère, avance et engloutit mécaniquement, un après l'autre, les plants non tuteurés. De la taille d'une moissonneuse-batteuse, la machine de récolte opère à partir de sa proue, un sabot large d'un mètre. Celui-ci sectionne le pied de tomates au ras du sol et avale toute la matière végétale : lianes, feuilles, tomates, motte de terre, et même, parfois, des corps étrangers, des pierres, des bouts de bois, des insectes ou des batraciens. En Californie, sur les plus grandes parcelles de tomates au monde, c'est mécaniquement qu'est récoltée la totalité des tomates destinées à être transformées dans la dizaine de méga-usines de la filière.

Sectionné, avalé, le pied de tomates est soulevé et transporté à l'intérieur de la machine grâce à un tapis roulant composé de mailles métalliques. La masse végétale est violemment secouée, les tomates se détachent, passent sur un second tapis roulant, où elles sont, là, triées manuellement, sur la machine, par plusieurs travailleurs : ce poste de travail est extrêmement pénible, car il impose à l'ouvrier agricole de se tenir debout, sur la machine, dans la chaleur de l'été, sous un soleil de plomb, dans les vibrations, la poussière et le bruit. Mais pour combien de temps encore y aura-t-il besoin de ce travail humain ? Ces dernières années, les sélecteurs optiques de tomates se sont beaucoup améliorés et ont commencé à remplacer ce poste de travail.

Toutes les tomates qui ne sont pas éliminées lors de la sélection manuelle continuent leur course. Elles sont projetées à l'extérieur de la machine, grâce à un autre élévateur mécanique, vers la benne d'un camion qui roule parallèlement à la machine de récolte, à quelques mètres de l'engin, à la même allure. La récolteuse mécanique expulse des tomates oblongues à jet continu. Derrière elle, la récolteuse vomit pour les abandonner ses déchets : terre, lianes, tomates refusées, ainsi que les gaz d'échappement, ceux de ses moteurs gourmands en énergie.

Lorsqu'on l'observe, le fonctionnement de la machine de récolte paraît simple. Sa mise au point est pourtant l'aboutissement d'une longue histoire sociale et d'un lourd travail d'ingénierie génétique. En effet, pour obtenir de la tomate d'industrie qu'elle se détache de la liane une fois secouée à l'intérieur de la machine de récolte, il a fallu que les généticiens accomplissent un travail titanesque… en inventant de nouvelles tomates.

V

Les origines de l'actuel modèle agricole californien remontent aux multiples échecs des migrants arrivés dans la région lors de la Ruée vers l'or : en 1848, venus de l'est, beaucoup espérent trouver le bon filon. Cette migration ayant engendré en Californie une explosion démographique, les nouveaux arrivants créent les premières grandes fermes californiennes en s'appropriant des terres. Il leur faut de la main-d'œuvre. Ils enrôlent des Amérindiens, puis des travailleurs chinois, introduits initialement pour construire les lignes de chemin de fer et piocher le fond des mines. Des Chinois travaillent dans les vastes exploitations agricoles californiennes dès la fin des années 1860, une fois les lignes ferroviaires terminées et certaines mines taries. Cette séquence historique d'appropriation des terres, puis d'enrôlement d'une main-d'œuvre quasi gratuite, immigrée ou amérindienne, est l'acte de naissance d'un modèle agricole inédit. « Que de crimes, de guerres, de meurtres, que de misères et d'horreurs n'eût point épargnés au genre humain celui qui, arrachant les pieux ou comblant le fossé, eût crié à ses semblables : "Gardez-vous d'écouter cet imposteur [le propriétaire terrien] ; vous êtes perdus, si vous oubliez que les fruits sont à tous, et que la terre n'est à personne !" » avait pourtant averti Jean-Jacques Rousseau, un siècle auparavant...

Les immigrés chinois de Californie, dont 95 % sont des hommes à la fin du XIXe siècle, deviennent des prolétaires des champs capables de travailler dur et de survivre malgré les terribles conditions de vie qui leur sont imposées par les propriétaires terriens. Ils ne disposent pas des mêmes droits que les citoyens des États-Unis d'Amérique : au « pays de la Liberté », ils ont l'interdiction d'épouser une femme blanche. Tandis qu'ils continuent de porter leurs vêtements traditionnels et leur natte, ces « sous-citoyens » sont stigmatisés par la population californienne. Ils acceptent les travaux les plus durs et sont parfois utilisés comme briseurs de grève, notamment dans le secteur minier. Parfois, des pogroms éclatent. Le racisme croissant à leur égard aboutit en 1882 au *Chinese Exclusion Act*, qui interrompt la politique d'immigration chinoise des États-Unis.

Dans les fermes californiennes, des Japonais les remplacent. Eux aussi deviennent la cible de discours et d'actes xénophobes. Avec l'apparition du tracteur, dite « première mécanisation agricole », les besoins et le travail évoluent : les ouvriers agricoles californiens deviennent des saisonniers mobiles.

En 1924, un *Immigration Act* interdit cette fois aux Japonais d'immigrer aux États-Unis. Pendant la Première Guerre mondiale, en particulier à compter de 1917, lorsque les jeunes hommes sont appelés, les propriétaires terriens ont recours à une autre main-d'œuvre masculine, philippine cette fois-ci. Ces travailleurs seront bientôt suivis dans leurs taudis par des Mexicains.

En éclatant, la crise économique de 1929 déclenche une vaste migration interne aux États-Unis. Des fermiers blancs ruinés, en quête d'un travail, arrivent de l'est en Californie. Les propriétaires des fermes bénéficient alors d'une énorme armée de réserve, et ils en profitent pour payer les journaliers qu'ils exploitent en dessous de leur niveau de subsistance. L'épisode est resté célèbre, car c'est dans ce contexte que le prix Nobel de littérature John Steinbeck écrit à travers ses romans la grande fresque sociale de sa Californie natale, où régne parmi les prolétaires des champs une misère terrifiante. Les travailleurs blancs, désormais au plus bas de l'échelle sociale, se trouvent discriminés à leur tour par le reste de la population états-unienne, exactement comme l'ont été avant eux les autres minorités immigrées.

Avec l'entrée en guerre des États-Unis en 1941, l'immense réserve de main-d'œuvre agricole californienne quasi gratuite se tarit brusquement. Durant la Seconde Guerre mondiale, les grands propriétaires, toujours en quête d'une main-d'œuvre à bas coût, font pression sur la Maison-Blanche. En 1942, Franklin D. Roosevelt rencontre le président mexicain Manuel Ávila Camacho. Tous deux lancent le « Programme Bracero » – de l'espagnol *bracero* signifiant « celui qui travaille avec ses bras ». Débute une vaste politique d'immigration légale qui concernera jusqu'à 450 000 travailleurs agricoles, selon les années. Les producteurs de tomates sont parmi les grands bénéficiaires de ce programme. Dans les années 1950, il est courant, lors des récoltes de tomates, que tous les cueilleurs d'un champ soient recrutés *via* ce programme.

S'il a permis la constitution de syndicats dans le secteur privé aux États-Unis, le *Wagner Act* de 1935 ne concerne pas les travailleurs agricoles. Dans les années 1950, le droit de se syndiquer demeure inexistant aux États-Unis pour les ouvriers agricoles. À l'heure où de plus en plus de travailleurs des champs californiens s'organisent et luttent pour conquérir ce droit, des *braceros* sont régulièrement employés par les fermiers californiens pour briser leurs grèves.

En 1948, tandis qu'il travaille à la récolte du coton, un jeune homme, César Chávez, fait la cruelle expérience de l'échec de la toute première grève à laquelle il participe : elle est brisée par l'embauche de *braceros* prêts à vendre pour rien leur force de travail. Le programme d'immigration légale est de plus en plus décrié par les syndicalistes, non pas parce qu'il permet à des Mexicains de trouver du travail en Californie, mais parce qu'il organise et institutionnalise un dumping social permanent qui, dans le rapport de force entre le travail et le capital, ne bénéficie qu'aux détenteurs des capitaux, et non aux travailleurs se trouvant des deux côtés de la frontière. C'est avec leur puissante armée de réserve d'immigrants dépolitisés que les propriétaires terriens brisent les grèves des syndicats. L'opinion publique, ainsi que la classe politique démocrate, influencées par les positions des syndicats agricoles californiens, comprennent progressivement que le programme d'immigration ne bénéficie qu'aux nantis, propriétaires terriens et grandes multinationales de l'agro-alimentaire.

Né dans une famille de fermiers mexicains immigrés, c'est en tant que syndicaliste en Californie que César Chávez devient le plus célèbre activiste des droits civiques hispano-américain. En 1962, il co-fonde l'United Farm Workers (UFW), un syndicat non violent, adepte de la désobéissance civile. Bien que le syndicat ait toujours adopté un mode opératoire pacifiste, ses luttes dans les années 1960 et 1970 ont été très durement réprimées et plusieurs de ses militants ont été tués lors de grèves ou de manifestations.

César Chávez n'avait strictement rien contre ses frères mexicains qui cherchaient du travail en Californie, cependant il avait compris rapidement que le programme d'immigration Bracero maintenait les rémunérations à la baisse. Aussi réclama-t-il son abrogation. C'est peu après la création de l'UFW que le programme est officiellement interrompu, sous la présidence de John F. Kennedy : en 1963, après un ultime débat, la Chambre des représentants refuse de le prolonger. Les grands propriétaires terriens et les grandes multinationales, qui se sont mobilisés pour son maintien, n'obtiennent qu'une prolongation d'un an. Dans son rapport annuel aux actionnaires, la Heinz Company critique la décision. Pour la filière de la tomate, il n'est pas question de payer davantage les travailleurs agricoles. Un « plan B » est urgent, et tout trouvé : il faut mécaniser la récolte.

VI

Centre de ressources génétiques de la tomate, université de Davis, Californie

Des étagères, des bacs en plastique et d'innombrables petites enveloppes. La chambre froide, d'une dizaine de mètres carrés à peine, n'a pas le faste d'un musée d'art. C'est pourtant un lieu unique au monde, qui abrite un trésor inestimable. Je viens de pénétrer dans l'une des plus grandes banques de semences de tomates. Ici, soigneusement étiquetée et classée, dort une collection de plus de 3 600 variétés allant de celles, sauvages, découvertes en Amérique du Sud, aux tomates domestiquées par l'homme, en passant par les variétés « mutantes » qui ont été obtenues après exposition à des radiations.

L'université de Davis aux États-Unis est un lieu incontournable de la recherche agronomique. À quelques encablures de la Napa Valley, célèbre zone de production des vins californiens pour lesquels des chercheurs de l'université ont travaillé avec acharnement, Davis invente l'agro-industrie de demain.

Son Centre de ressources génétiques de la tomate a joué un rôle crucial dans l'industrie rouge. Il porte le nom de Charles Madera Rick, ancien professeur de l'université, qui fut, en son temps, l'autorité mondiale de la biologie de la tomate. Avec sa barbichette blanche et son éternel bob vissé sur la tête, y compris pour sa photo officielle illustrant l'annuaire de la National Academy of Science, cet Indiana Jones de la tomate – ou ce bio-pirate, c'est selon – a passé une bonne partie de sa vie en Amérique du Sud : entre 1948 et 1992, il y a découvert de nombreuses variétés sauvages.

Charles Rick est incontestablement un « architecte de la tomate[1] », car, sans lui, les tomates de l'agro-industrie que l'on mange désormais dans les pizzas, le ketchup ou la sauce tomate industrielle n'auraient pas certaines de leurs qualités distinctives, qu'elles doivent à quelques gènes découverts dans les variétés sauvages qu'il rapporta.

Ayant pour bassin d'origine les régions andines côtières, au nord-ouest de l'Amérique du Sud,

1. Arthur Allen, *Ripe. The Search for the Perfect Tomato*, Berkeley, Counterpoint, 2010.

dans une zone incluant aujourd'hui la Colombie, l'Équateur, le Pérou et le Nord du Chili, les tomates que consommaient les Aztèques ou les variétés sauvages n'ont absolument rien de comparable aux tomates rouges des publicités Heinz ou Campbell.

Les tomates peuvent être de petits fruits verts, parfois violacés, jaunes ou orange, amers, comestibles ou non, poussant jusqu'à plus de trois mille mètres d'altitude, sans arrosage ni intervention humaine[1]... Après les premières expéditions scientifiques en Amérique du Sud de l'illustre généticien soviétique Nikolaï Vavilov[2], Charles Rick fut le second chercheur à découvrir des variétés et à entreprendre de cataloguer, dix ans plus tard, les tomates sauvages dans leur bassin d'origine.

C'est aux îles Galapagos, qui font partie du bassin d'origine de la tomate et qui avaient été explorées par Charles Darwin en 1835, que Charles Rick a découvert la variété sauvage *L. cheesmanii* portant un gène qui allait être promis à un grand avenir industriel : le gène *j-2*.

En 1942, donc, durant la Seconde Guerre mondiale, alors que la réserve de main-d'œuvre agricole disponible en Californie s'est brusquement tarie, les programmes de recherche dans le domaine de la mécanisation, déjà lancés, sont menés dans

1. Jean-Luc Danneyrolles, *La Tomate*, Arles, Actes Sud, 1999.
2. Gary Paul Nabhan, *Aux sources de notre nourriture. Vavilov et la découverte de la biodiversité*, Bruxelles, Éditions Nevicata, 2010.

une certaine urgence. Un membre du département d'ingénierie agricole de l'Université de Californie, A. M. Jongeneel, rencontre un généticien spécialiste de la tomate, le professeur G. C. Hanna. Il fait part au généticien de la grande difficulté technique que représente la mécanisation de la récolte des tomates : les premières machines mises au point parviennent bien à progresser dans le champ, à couper les pieds des plants, mais ensuite l'expérience vire inéluctablement à la catastrophe. Les tomates sont réduites en une infâme bouillie, où se mêle de la terre, elles s'écrasent contre les mécanismes : la machine massacre la récolte avec la délicatesse d'un char d'assaut. L'ingénieur demande alors au professeur Hanna s'il lui semble envisageable, et efficace, de développer génétiquement une tomate adaptée à la machine. Cela lui paraît plus pertinent que de chercher à inventer une machine adaptée aux tomates... L'idée fait son chemin.

L'année suivante, le généticien débute ses recherches au sein de l'Université de Davis et présente ses premiers résultats en 1949. Dix ans plus tard, en 1959, un prototype de récolteuse mécanique est construit et testé en plein champ. Entre-temps, de nouvelles variétés de tomates ont été mises au point : la découverte du gène *j-2* de la variété *L. cheesmanii* a été déterminante : c'est à lui que l'on doit la possibilité de la mécanisation de la récolte. Du Xinjiang à l'Italie du Sud, de la Turquie à la Californie, ce gène est aujourd'hui présent dans toutes les tomates d'industrie de la planète.

« Charles Rick a découvert cette variété aux Galapagos, raconte Roger Chetelat, l'actuel directeur du Centre de ressources génétiques de la tomate. C'était une tomate orange et Charles Rick, en les prélevant, s'était aperçu que ces tomates se détachaient très facilement. Cependant, une fois les graines rapportées en Californie, il ne parvint pas à les réensemencer. Il plantait ces graines, mais c'était en vain. Les tomates ne poussaient pas. Il essaya de modifier un grand nombre de paramètres, mais, à chaque fois, il échouait. Un jour, il eut l'idée que ces graines de tomate des Galapagos devaient peut-être être digérées par des animaux avant d'être réensemencées. Alors, il essaya avec des oiseaux. Cela ne fonctionnait pas non plus. Enfin, il eut l'idée de les donner à des tortues. Le problème, c'est que l'on ne trouve pas si facilement des tortues géantes des îles Galapagos en Californie… Mais Rick se souvint qu'il avait un ami scientifique, à Berkeley, qui avait rapporté deux tortues des Galapagos. Il demanda à ce dernier de nourrir les tortues avec des graines de tomate. Après quoi, Charles Rick recevait par la poste de gros paquets d'excréments de tortue… Cela paraît fou, mais c'était ça, la solution. En donnant à manger ces graines aux tortues et en attendant la fin du processus de digestion de deux semaines, Rick découvrit que l'on activait la germination de ces graines. C'est ainsi qu'il put les réensemencer, et que le gène *j-2* révolutionna l'industrie de la tomate. »

VII

L'Université de Davis développa avec de l'argent public les toutes premières machines de récolte de tomates. Le 1er septembre 1960, deux mille personnes, parmi lesquelles des producteurs, des transformateurs et des banquiers, assistèrent à une démonstration publique de la machine de récolte « Blackwelder ». L'année suivante, en 1961, furent récoltées mécaniquement les premières tomates d'industrie destinées à la consommation : 25 machines furent alors vendues et 0,5 % de la récolte californienne fut récoltée à la machine. Le professeur Hanna présenta une nouvelle variété spécialement adaptée à la récolte mécanique, la VF-145.

Quand s'acheva en 1963 le programme d'immigration Bracero, les capitaux affluèrent soudain vers la recherche, qui connut une brusque accélération. En 1965, 20 % de la récolte fut mécanisée[1]. En 1966, la mécanisation de la récolte des tomates enregistra un bond extraordinaire : 70 % de la récolte californienne était mécanisée. En 1967, la récolte mécanique concerna 80 % des surfaces cultivées ; 92 % l'année suivante ; puis

1. Alain de Janvry, Phillip LeVeen, David Runsten, « The political economy of technological change : mechanization of tomato harvesting in California », Berkeley, University of California, 1981.

98 %. En 1970, la totalité de la récolte des tomates d'industrie était mécanisée en Californie. En sept années à peine, les producteurs de tomates parvinrent à se passer du travail de dizaines de milliers d'ouvriers agricoles sous-payés.

Le travail agricole ne disparut pas totalement – une dizaine d'employés par machine, souvent mexicains, sont encore requis pour conduire le véhicule et trier les tomates –, mais il a été décimé. Ce progrès technique permit au capital de n'avoir rien à concéder aux travailleurs.

Chapitre 12

I

Nocera Superiore, Campanie, Italie

La carte, sur toute la largeur du mur, est traversée de courbes reliant entre eux les ports du globe terrestre. De gros points symbolisent les stations de charbonnage, d'essence, ainsi que les bureaux des communications commerciales. Les consulats sont indiqués par des drapeaux noirs pour les Britanniques, blancs pour les États-Uniens. Le papier a beaucoup vieilli en un siècle, avec quelque fantaisie : les mers et les continents ne sont plus que dégradés de brun, de jaune crème et de vert menthe ; le Commonwealth s'étale jusqu'aux colonies hollandaises ; les possessions coloniales espagnoles et belges ont été intégrées à l'Empire colonial français. À l'entrée du bureau d'Antonio Petti, les grandes routes commerciales du planisphère décoloré sont précisément celles que les conserves de tomates de ses ancêtres ont empruntées à partir des années 1920.

Après avoir serré la main du plus important acheteur de concentré en Europe, j'aperçois dans son bureau de hautes statuettes de la Vierge Marie et du célèbre capucin des Pouilles, Padre Pio, ainsi que de nombreux trophées célébrant la phénoménale production de conserves de tomates du groupe Petti. La pièce abrite beaucoup de photographies, dont certaines prises en Chine, en 2001, en compagnie du général Liu… Ailleurs, sur un meuble, des boîtes de conserve. L'une d'elles attire mon attention : Gino… Toujours elle. La marque numéro un en Afrique.

« La caractéristique historique de notre entreprise, c'est son orientation vers l'export », débute Antonio Petti avec un impeccable accent napolitain[1].

« Les toutes premières exportations de l'entreprise Petti ont été réalisées au début du XXe siècle, vers les États-Unis et l'Angleterre. Après quoi l'entreprise Petti s'est développée vers d'autres pays. Quand je suis arrivé aux affaires, j'ai étendu nos exportations aux marchés africains. Aujourd'hui notre société représente 60 % des importations de concentré de tomates en Italie, et elle exporte l'équivalent de 4 % de la production mondiale de concentré. Heinz est le premier acheteur de concentré au monde. Nous sommes le second plus gros acheteur de la planète, nous

1. Entretien avec Antonio Petti, 2 août 2016.

en achetons 150 000 tonnes par an, que nous réexportons dans 170 pays. »

Si le groupe naguère constitué par Antonino Russo a été revendu – le « roi de la tomate » étant aujourd'hui décédé –, l'entreprise Petti est restée pour sa part un acteur incontournable de la géopolitique du concentré. « En Irak, j'ai bien connu le numéro deux du régime, du temps de Saddam Hussein, le ministre Tarek Aziz. Ainsi que sa sœur, qui était à la tête de la SEC, la State Enterprise Corporation, l'entreprise d'État qui achetait les produits de première nécessité. Même chose en Libye, où je traitais avec des membres de la famille de Kadhafi. Idem pour la Tunisie. Il était difficile de mettre en place de tels contrats avec ces gouvernements, mais, une fois la chose faite, les quantités de concentré étaient considérables. Pour vous donner un ordre d'idée, la Libye consomme plus de concentré qu'un pays comme l'Allemagne, qui a environ 80 millions d'habitants – contre 6 millions en Libye. »

II

Sur la plupart des marchés d'Afrique, de petits drapeaux tricolores italiens habillent les boîtes de concentré de tomates. Une petite mascotte sympathique, une tomate au nom typiquement italien, sourit au chaland en soulevant ses lunettes de soleil : Gino.

Destinée à la vente au détail, conditionnée en boîtes dont la contenance varie de 70 g à 2,2 kg, la marque Gino est devenue en dix ans le numéro un du concentré de tomates vendu en Afrique. Du Mali au Gabon, du Liberia à l'Afrique du Sud, plus d'une vingtaine de points rouges correspondant à ses marchés constellent la carte du continent qu'affiche le site Internet de la marque. Des marchés qui ne se limitent pas à l'Afrique : Gino étale son sourire jusqu'en Haïti, au Japon, en Corée du Sud, en Jordanie, en Nouvelle-Zélande, et dans bien d'autres pays encore. Le concentré Gino est aujourd'hui consommé par des centaines de millions de personnes à travers la planète. Pourtant, bien que son packaging fasse implicitement de Gino une petite tomate italienne, ni la boîte de conserve, ni le site n'indiquent la provenance exacte du concentré. La présentation, sur le site de la marque, invite plutôt à jouer aux devinettes : « Le double concentré de tomates Gino est fait à partir d'un mélange unique des meilleurs ingrédients provenant de différentes régions du monde. Il est produit dans une des plus grandes installations de transformation au monde, en utilisant la meilleure technologie, tout en conservant la qualité traditionnelle du concentré. Gino améliore le goût de chaque plat et fait de chaque repas une fête. » Mais que serait une fête sans surprises ? Ce concentré, « mélange unique des meilleurs ingrédients », provient bien de plusieurs régions du monde : il s'agit du Xinjiang et de la Mongolie intérieure, en Chine.

La seconde surprise du concentré Gino tient à la nationalité du propriétaire de la marque, qui assure sa distribution. Malgré la construction *marketing* d'une prétendue identité italienne, ce géant de la distribution du concentré est un indien : Watanmal. Ce groupe, dont les sièges sont à Hong-Kong, ainsi qu'à Tharamani dans le Chennai, s'enorgueillit de compter 530 millions de clients à travers le monde.

Watanmal réalise près de 650 millions de dollars de chiffre d'affaires annuel dans la distribution de denrées alimentaires, en grande partie grâce à Gino. La société exploite également une seconde marque de concentré de tomates, « concurrente » de Gino : Pomo. Les conserves de concentré Pomo sont produites dans les mêmes usines, avec le même concentré chinois que celui des conserves Gino.

Afin de promouvoir ses tomates, Watanmal n'a reculé devant rien. Outre l'organisation de multiples campagnes de publicité, notamment via d'innombrables spots télévisés ou radiophoniques, la publication d'encarts dans la presse et l'achat d'innombrables fresques murales dans les villages d'Afrique, Watanmal a acheté une quantité phénoménale de panneaux publicitaires auxquels on peut difficilement échapper aux abords des marchés populaires, notamment au Ghana et au Nigeria. Il est en effet impossible de vivre au Ghana sans voir quotidiennement les immenses panneaux promouvant les grandes marques de concentré distribuées dans le pays. Dès mon arrivée à Accra, à dix mètres à peine de la sortie de l'aéroport, je suis tombé nez à nez avec une immense publicité pour la marque Gino – la première d'une longue série.

Watanmal communique aussi par l'intermédiaire de Gino Celebrate Life Fund, une fondation caritative. Au Nigeria, où Gino est parvenu, après plus de dix ans de présence sur ce marché, à le dominer et à concurrencer gravement les producteurs de tomates locaux, la fondation se voue à l'« amélioration de la vie » ; elle finance des opérations de la cataracte. « Merci à Gino, je peux prendre soin de ma famille maintenant », clame un bénéficiaire de l'opération dans une vidéo promotionnelle, avant d'être relayé par un second : « Que Dieu bénisse Gino ! » Dans la vidéo sont incrustés, dans les coins supérieurs de l'écran, la mascotte et le logo aux couleurs de l'Italie.

Watanmal partage aujourd'hui le marché africain du concentré de tomates d'importation chinoise avec d'autres firmes spéculant sur les denrées agricoles au sein des pays subsahariens. La marque Peppe Terra de l'entreprise Chi Ltd appartient au conglomérat Tropical General Investment, spécialisé dans le négoce et la vente de denrées alimentaires, et dont le siège est à Dublin, en Irlande. Les marques de concentré Taima, Tomavita et Tomato Fun sont pour leur part exploitées par l'entreprise Noclink Ventures, qui exporte des minerais du Nigeria et importe pêle-mêle de Chine des téléphones portables aussi bien que du concentré de tomates, des motocyclettes, des pièces automobiles ou des sacs à main. À ces marques s'ajoute Tasty Tom, marque présente dans de très nombreux pays africains, exploitée par le groupe singapourien Olam, le principal concurrent de Gino. Avec 11 milliards de dollars de chiffre d'affaires annuel, Olam est un géant mondial du négoce et du courtage de denrées alimentaires, exerçant beaucoup de ses activités en Afrique : il est présent dans les secteurs de l'huile de palme et le bois, mais aussi dans la minoterie. Concentré de tomates, pâtes, mayonnaise, biscuits, riz, lait en poudre, huiles alimentaires… Olam, employeur de plus de 56 000 salariés de 70 nationalités différentes, est un géant de l'agrobusiness incontournable en Afrique. Il réalise des profits colossaux avec l'alimentation des Africains. Ses boîtes de concentré Tasty Tom contiennent elles aussi du concentré chinois produit à bas coût.

III

« Gino est une idée de Watanmal, m'explique Antonio Petti. Ils ont fait appel à un graphiste californien, qui s'est inspiré des boîtes de conserve italiennes des années 1960, et il a créé cette petite tomate stylisée aux couleurs de l'Italie. Watanmal m'a contacté pour me demander de produire cette marque, ce que nous avons fait pendant près de dix ans. Je me souviens de notre première exportation de concentré Gino : elle était de trois conteneurs. Avec le temps, Gino est devenu notre plus gros client. Nous sommes allés jusqu'à des volumes d'export de 3 500 conteneurs par an. »

À la fin des années 1990, quelques entreprises napolitaines tiennent seules le marché du concentré d'importation en Afrique. À cette époque, la Chine commence à s'équiper en usines de transformation et Naples importe des quantités croissantes de barils d'or rouge, en retravaille la matière, la met en boîte, puis la réexporte dans le monde entier, et notamment en Afrique. Gino, marque de sonorité italienne, conditionne en Italie sa marchandise : cela permet à Petti et Watanmal d'écouler de phénoménales quantités de concentré chinois en Afrique. En 1997, sur les 114 549 tonnes de concentré importées par l'Afrique, 90 000 tonnes ont été expédiées par Naples. La même année, la Chine n'expédie que 1 400 tonnes de concentré directement en Afrique. Cinq ans plus tard, en 2002, les Napolitains exportent 222 751 tonnes vers l'Afrique – dont une large part est du produit chinois retravaillé. Pendant plusieurs années, Chalkis et Cofco Tunhe fournissent leurs partenaires napolitains. Mais, peu à peu, les appétits s'aiguisent…

À commencer par celui du général Liu. « À l'époque, j'ai bien vite compris que le concentré de tomates chinois faisait un voyage inutile jusqu'en Italie avant d'arriver en Afrique, m'explique le général Liu. Alors, un jour, j'ai pensé que nous, Chalkis, nous pouvions directement mettre en boîte notre concentré de tomates à Tianjin, dans une conserverie, et l'exporter directement vers l'Afrique… »

Le vent tourne pour les Napolitains : le général Liu fait construire une conserverie gigantesque à Tianjin en 2004, la Chalton Tomato Products, en capacité de conditionner annuellement 100 000 tonnes de concentré.

« C'est à cette époque que le général Liu est venu me voir à Nocera, se souvient Antonio Petti. Il ne m'en a pas parlé, mais il avait décidé de produire Gino à ma place. Il est simplement venu prendre des renseignements. Après sa visite, il est allé voir Watanmal, le distributeur de Gino, et il leur a proposé de meilleurs prix. Je dois bien avouer que le fait de ne pas avoir sécurisé ma production de concentré Gino a été la plus grande erreur de ma carrière. Le général Liu a d'abord été un important partenaire, mais du jour au lendemain il est devenu mon plus gros concurrent. »

Ainsi, à la fin des années 2000, selon la volonté du général Liu, la Chalton devient la plus importante conserverie de Tianjin. Une nouvelle pièce d'artillerie dans l'arsenal de Chalkis, qui permet au géant chinois d'écouler directement son concentré en Afrique. À cette période, les ouvriers et les machines de cette usine ne produisent pas exclusivement des conserves Gino. La conserverie met également en boîte du concentré pour de nombreuses autres marques distribuées à travers le monde. Au Maroc par exemple, les marques Cheval d'or et Délicia lui passent commande. Ces deux marques, propriétés de deux entreprises concurrentes aux capitaux distincts, se disputent leur marché national. Mais les entreprises qui détiennent ces marques ont toutes deux passé des commandes de concentré au même fournisseur, le géant Chalkis.

« Le marché africain, des années 1950 jusqu'aux années 2000, a presque toujours été l'apanage des Italiens. Nous y étions seuls, ajoute Antonio Petti. Puis les Chinois ont fait leur apparition sur le marché mondial. Vous l'avez compris, d'abord en ne produisant que du produit semi-travaillé, que nous importions en Italie pour le retransformer, puis le réexporter. Mais quand les Chinois ont compris qu'il y avait un passage supplémentaire, que nous achetions du semi-travaillé chinois pour le transformer et le réexporter en Afrique, ils ont eu l'idée de faire l'opération directement, en passant par-dessus notre double étape d'un transport supplémentaire. Ils ont voulu utiliser également leurs avantages compétitifs, notamment leur coût du travail beaucoup plus faible que le nôtre, ainsi que leur coût plus faible de l'énergie. Et ils sont venus nous défier sur les marchés africains. »

Le résultat ? En 2013, en Afrique, sur les 748 millions de dollars d'importation de concentré de tomates, les conserveries napolitaines en ont expédié un quart – 141 669 tonnes –, dont l'essentiel était du concentré de réexportation... Contre trois quarts pour la Chine – 447 540 tonnes –, qui tient désormais plus de 70 % du marché du concentré de tomates en Afrique.

IV

Dans le laboratoire de l'usine Petti de Nocera, je fais la connaissance d'une laborantine. Mon guide, le directeur technique du site, l'invite à me faire une démonstration du test de taux de Brix[1] du concentré. Après quoi nous passons à la colorimétrie. « Les pays européens ont des habitudes culturelles différentes », me dit-il. En réalité, il veut plutôt parler des habitudes des clients d'Antonio Petti, les acheteurs des grandes enseignes. « Certains pays veulent un concentré très sombre, d'autres un concentré très rouge, très clair. En France, par exemple, c'est entre les deux. C'est pourquoi nous mélangeons différents concentrés afin d'obtenir ce que désirent nos clients. »

L'explication est commode : à en croire le directeur technique de l'usine, les mélanges de concentré ne seraient qu'une manière de satisfaire les consommateurs européens en fonction de leurs « couleurs préférées ». En fait, il s'agit aussi de réaliser des mélanges de différentes qualités de concentré, et ce afin d'écouler des concentrés de médiocre qualité mélangés à des concentrés de meilleure qualité. C'est ainsi qu'une boîte de concentré premier prix vendue dans un supermarché européen peut contenir un mélange de concentrés de différentes origines, où de la pâte chinoise peut être mélangée à de la pâte espagnole

1. L'échelle de Brix est une mesure permettant de définir le pourcentage de matière sèche soluble d'un fruit. Le degré Brix (°B) est son indice de concentration, mesuré à l'aide du faisceau de lumière d'un réfractomètre. Son nom provient de son inventeur, un ingénieur et mathématicien allemand, Adolf Ferdinand Wenceslaus Brix (1798-1870).

ou californienne. Ce qui permet de proposer des prix plus bas aux grandes enseignes.

Dans une armoire du laboratoire, j'aperçois des classeurs. « Ils contiennent l'historique de la matière première que nous transformons dans l'usine. C'est avec eux que nous organisons notre traçabilité », me précise-t-il en tirant au hasard un classeur récent. Les pages, ainsi que les provenances du concentré, défilent. Le directeur technique s'arrête volontairement sur une page indiquant que les concentrés proviennent tous de Californie. Je fais défiler quelques pages : « Xinjiang, China » surgit à de très nombreuses reprises, sur des pages entières.

Disposer de la traçabilité d'un concentré californien n'est pas très difficile, car les parcelles sont immenses, les producteurs peu nombreux, et l'organisation du travail totalement informatisée : il suffit d'adresser un courriel en indiquant le numéro du lot à l'entreprise californienne qui l'a produit, et cette dernière fournira quelques heures plus tard des informations sur le concentré en question. En revanche, pour ce qui est du concentré chinois, c'est une autre affaire... Avec ses milliers de petites parcelles au Xinjiang, où des petits producteurs cultivent parfois sur des lopins minuscules, de quelques *Mu,* disséminés dans toute la région – en vaporisant généreusement sur les plants les pesticides qu'ils emploient aussi pour le tournesol ou le coton, qu'ils cultivent bien souvent à proximité –, tous les industriels de la filière savent que la traçabilité du concentré est extrêmement difficile à organiser en Chine.

En sortant du laboratoire de l'usine Petti, nous nous rendons en début de ligne, où des ouvriers installent des barils d'importation : des machines pompent le concentré et l'injectent dans le circuit d'alimentation. Le triple concentré est ensuite réhydraté dans des cuves afin de produire du « double ». Ici, contrairement à l'usine Petti de Toscane, aucune tomate italienne n'est transformée. Nocera se contente de retravailler du concentré aux origines lointaines, dont la provenance dépend de la fluctuation des prix sur le marché mondial, ainsi que des taux de change.

Dans les entrepôts de l'usine, je relève sur des boîtes de concentré les noms des plus célèbres marques de la grande distribution européenne. Ici, les conserves parlent toutes les langues. Elles se distinguent par leur habillage. Quant à leur contenu, lui, il est le même, indifférencié par les lois du marché mondial qui s'auto-régule. Les grandes enseignes qui les commercialiseront bientôt sont réputées « concurrentes » ; dans les faits, c'est bien une seule et même marchandise qu'elles proposeront sur leurs rayonnages, produite dans cette usine titanesque.

Le spectacle de ce stock, destiné à répondre à la demande européenne, révèle l'un des paradoxes du capitalisme, qu'il fait bon ne pas trop divulguer : de nos jours en Europe, le consommateur, dans l'espace de la concurrence « libre et non faussée » où s'exerce la libre circulation des biens, n'a plus le choix, pour cette gamme de produits qu'est le concentré, qu'entre des graphismes savamment élaborés par des services marketing, n'affichant que très rarement une traçabilité. Où est donc passée la « liberté » de choix du consommateur ?

Ces boîtes de la filière mondiale sont autant de métaphores du capitalisme. Dans la tomate d'industrie, des monopoles se sont constitués. Au cours des deux dernières décennies, la production, orientée par les seuls intérêts du capital, n'a cessé de répondre à des objectifs de massification. Des entreprises telles que Petti sont devenues des géants, dont le pouvoir est colossal. Au terme d'un processus de concentration, fait d'économies d'échelle, des méga-usines produisent aujourd'hui un type de marchandise, conditionné dans une multitude d'emballages. Mais c'est bien la même boîte contenant le même concentré qui sera consommé dans le monde entier. La variété de l'habillage maintient vivante l'illusion du choix. Tel est le capitalisme : en apparence, il porte la promesse de « diversité », de « concurrence », de « liberté » pour le consommateur, mais dans les faits, il ne sert que des intérêts particuliers. Pendant combien de temps encore faudra-t-il accepter de consommer des produits opaques ? Puisque l'industrie est un pouvoir, pourquoi l'industrie ne serait-elle pas contrôlée par des contre-pouvoirs démocratiques ?

Chapitre 13

I

Tianjin, Chine

Sous un ciel laiteux s'étire la trois-voies qui mène à la conserverie. La bande la plus à gauche s'offre à la circulation des automobiles neuves, berlines, coupés, 4x4 en tout genre. Le deuxième ruban d'asphalte est réservé aux camions de marchandises, ceux qui incessamment quittent ou rejoignent une usine, à moins qu'il ne s'agisse d'un terminal du port. La troisième et dernière voie, la plus lente de toutes, canalise les perdants : triporteurs ou bicyclettes rafistolés, véhicules roulant par l'opération du Saint-Esprit, pétrolettes d'ouvriers jamais casqués. Riches ou pauvres, de la première à la dernière voie, tous vont et viennent le long d'immenses barres d'immeubles identiques, parfois hérissées d'armatures en fer rouillées faute d'avoir été achevées.

Il ne faut pas se fier à l'arche de pierre sur laquelle l'on peut lire en grandes lettres d'or : « Tianjin Jintudi Foodstuff ». Il ne s'agit pas de l'entrée principale de l'entreprise. Ce grand portail tape-à-l'œil ne sert que de décorum à l'occasion des cérémonies officielles, ou bien de fond pour les photographies illustrant les brochures commerciales de l'entreprise. C'est par un autre accès, le long duquel s'alignent les motocyclettes inclinées des ouvriers, que l'on entre sur le site industriel. Derrière la guérite du vigile, une fois la barrière levée, débute la zone d'expédition des marchandises.

Ici, tous les jours et toutes les nuits, des hommes en sueur remplissent des conteneurs de cartons de petites boîtes de conserve rouges. La chaleur est éprouvante. Certains caristes travaillent torse nu, portent des sandales de plastique. Lorsque le tas de cartons commence à se faire trop haut à l'intérieur du conteneur et qu'ils ne parviennent plus à monter les derniers jusqu'en haut, à 2,60 mètres du sol, les manutentionnaires improvisent un escalier de cartons. Puis, lorsque le conteneur semble comble jusqu'aux portes – six mètres de profondeur –, les travailleurs empilent des palettes afin de constituer un vertigineux escabeau de fortune permettant d'atteindre le plafond pour forcer et bourrer encore. Peu importent les recommandations de l'armateur ou des autorités portuaires, il ne doit plus rester le moindre espace de libre. Les hommes chargent ainsi, en short, jambes nues, deux d'entre eux en équilibre sur sept palettes, au risque qu'une planche cède ou bascule sous le poids ou le mouvement de l'un d'entre eux – en 2015, en Chine, il s'est produit 281 576 accidents du travail, dont 66 182 mortels.

Une fois le conteneur entièrement rempli, il n'est plus possible d'en fermer les portes convenablement. C'est alors que surgit un transpalette aux fourches relevées. Il fonce droit sur le conteneur aux portes récalcitrantes afin de lui infliger la correction qu'il mérite. Le véhicule enfonce brutalement ses cornes dans les deux portes rebelles, sa charge produit un choc retentissant. On scelle le conteneur d'un plomb numéroté. En route pour les grands ports du monde.

II

Soulevé par une grue que manœuvre un ouvrier à l'aide d'une télécommande, le conteneur quitte la terre ferme, s'élève lentement, semble flotter malgré son poids, s'approche de la remorque d'un camion. Pour donner à l'imposant caisson métallique sa position dans l'axe, huit mains, de quatre manutentionnaires, saisissent les angles inférieurs du conteneur afin de le guider, et ce jusqu'à ce qu'il se trouve à quelques centimètres à peine du fond de la remorque. Le conteneur lâché, il écrase les amortisseurs et les essieux.

L'usine de la Jintudi se trouve à quelques kilomètres à peine des terminaux du port de Tianjin, le dixième plus grand port de marchandises au monde par son trafic[1], où il se charge et se décharge de tout. Aujourd'hui sous supervision et administration directe du pouvoir central, cette ville stratégique, située à la confluence de deux fleuves ouvrant sur un bras de la mer de Chine, a été pensée depuis la haute Antiquité pour être le point d'aboutissement d'une route fluviale et un port. Au VIIe siècle, elle a été reliée aux terres plus au nord et à l'est par un « Grand Canal ». Ces dernières décennies, ses voies d'approvisionnement se sont multipliées et ont considérablement étendu la mégalopole portuaire à l'activité débordante. Elle compte 15 millions d'habitants, ce qui en fait la quatrième ville la plus peuplée de Chine. Un terrible accident industriel a ravagé Tianjin en 2015, lors de l'explosion d'un entrepôt contenant des milliers de tonnes de produits chimiques toxiques, dont 700 tonnes de cyanure de sodium. Avec ses 173 morts, dont 99 pompiers, et près de 800 blessés, la catastrophe est venue rappeler au monde entier la place cruciale qu'occupe Tianjin dans la géopolitique industrielle et commerciale mondiale.

Nous ne sommes pas nombreux à avoir été autorisés à pénétrer dans ce lieu, dans cette conserverie produisant de folles quantités de boîtes de concentré. La Jintudi a accepté de m'ouvrir ses portes, tiraillée entre l'envie de faire connaître sa réussite et le souci de préserver le mystère qui a présidé au succès de son business.

---

1. 14 millions d'EVP, l'unité de base du conteneur standard (équivalent vingt pieds) en 2015.

Dans le vestiaire des ouvriers, face aux casiers métalliques, Ma Zhenyong, directeur de l'usine et bras droit du dirigeant de l'entreprise, me remet une paire de sur-chaussures en papier tissé, une blouse blanche, une charlotte, ainsi qu'un masque, puis m'entraîne dans un dédale de petites pièces sombres. Nous franchissons un tourniquet de fer et parcourons un couloir strié de lumières bleues. Une centaine de pas plus loin, le guide pousse une lourde porte. Le puissant souffle d'une chaleur visqueuse nous étreint dans une explosion de bruit.

Un torrent continu de boîtes de conserve s'écoule entre des machines sous des néons jaunâtres. Des panaches de vapeur s'élèvent dans le hangar à l'atmosphère épaisse et brûlante. Les boîtes défilent au cœur de l'étuve, pleines, fumantes. Le long de la chaîne, les bras des ouvriers se plient, se tendent, s'étirent, chaque fois qu'il faut enrouler, dérouler, actionner un tuyau de nettoyage, donner un coup de raclette, réorienter, remettre dans le flux une unité, en contrôler une autre, réparer un équipement, déplacer une charge, soulever un carton, transporter un outil, vérifier la marchandise ou l'empaqueter. Les uns portent des petites casquettes blanches, les autres ont sur la tête de très fines chapkas qui enveloppent leur chevelure, couvrent leur cou, leurs oreilles, au niveau desquelles cette coiffe industrielle typiquement chinoise est cousue d'un rectangle de gaze laissant voir qu'aucun des ouvriers ne porte de bouchons pour le protéger du bruit. Les tympans sont exposés aux grondements des engrenages, à la mitraille continue des boîtes métalliques s'entrechoquant.

Elles défilent entre les rails, petits palets rouges qui foncent dans un crissement strident. Sur une première ligne, des travailleurs et des machines produisent la plus petite unité de conditionnement de concentré de tomates, des boîtes cylindriques de 55 millimètres de diamètre pour 37 de hauteur, de 70 grammes. Tandis qu'une seconde ligne produit des boîtes plus hautes, de 400 grammes.

Recouvert d'une nappe d'eau saumâtre, le sol est extrêmement glissant. Dans les flaques se diluent des coulures, des éclaboussures de concentré qui donnent aux débuts de ligne une allure d'abattoir.

À deux pas de la chaîne, un opérateur vérifie de manière aléatoire le poids des boîtes pleines sur une balance hors d'âge n'inspirant guère confiance. La tare a été faite avec une boîte vide et les nombres qui s'affichent sur l'écran me donnent l'impression d'assister au tirage d'une loterie. Est-ce la remplisseuse automatique qui est défaillante ? Ou bien la balance ? Peut-être les deux à la fois ? Qu'importe. L'ouvrier de ce poste, imperturbablement, attrape les boîtes encore brûlantes du bout des doigts, les pèse, puis les réengage sur la ligne. Quand le convoyeur en face de lui se rompt soudain en l'un de ses maillons, l'opérateur abandonne aussitôt la balance, crie quelque chose en agitant les bras en direction de l'un de ses collègues, puis se met à genoux dans une flaque tiède pour constater les dégâts. Le tapis pend lamentablement, mais déjà un réparateur accourt avec une pièce de rechange. Quelques minutes plus tard, après de bons coups de marteau dans une charnière suivis de quelques mouvements d'une clef à molette, la chaîne est relancée. Le tumulte reprend. Des centaines de boîtes de conserve accumulées en amont, impatientes de déferler, s'élancent en une seule salve furieuse. La sertisseuse automatique tourne à nouveau telle une toupie obèse. Les petites boîtes se ferment une à une. Continuellement.

En bout de chaîne, une femme s'empare de grandes plaques de carton et les plie à la force de ses bras pour confectionner de grands emballages. De longues secondes sont nécessaires pour percevoir en détail l'exactitude, l'infime précision de son geste, tant le volume du cartonnage est déployé rapidement sous ses doigts. Tout paraît si fluide, si harmonieux… Et pourtant, du visage de cette femme, toute expression a disparu. Elle est à sa tâche unique, son regard est aussi vide que les cartonnages qu'elle manipule. Combien de milliers de boîtes a-t-elle déjà pliées dans sa vie ? Depuis combien de mois, combien d'années fait-elle les mêmes gestes, pour construire la même boîte, sept jours sur sept, sans congés payés ? Comme les autres travailleurs ici, elle puise au plus profond d'elle-même afin de vendre sa force de travail.

L'usine tourne ici en trois-huit. Les ouvriers s'y épuisent sept jours sur sept, cinquante-six heures par semaine, pour un salaire qui, une fois converti, avoisinerait, selon M. Ma, les cinq cents euros. Dois-je le croire ? Les ouvriers refusent de répondre à mon interprète à propos de leur salaire. Une chose est sûre cependant : le temps est déjà loin où les *mingongs*, ces émigrés venus des campagnes au début des années 2000 pour constituer la première main-d'œuvre, étaient payés moins de deux cents euros par mois. Mais la cadence n'a pas changé, ni l'esprit. Dans l'atelier, les femmes et les hommes portent tous un tee-shirt blanc frappé dans le dos de la même inscription en mandarin. Quelques-uns ont roulé leurs manches courtes sur les épaules. L'un d'entre eux, les muscles saillants, la mâchoire carrée, aurait pu être le héros d'une vieille affiche de propagande maoïste : viril, endurci, déterminé. Une comparaison anachronique puisque cet homme peine désormais en soldat de l'empire de l'or rouge, au cœur du capitalisme d'État chinois.

La Tianjin Jintudi Foodstuff est une importante usine de reconditionnement de concentré et serait « la seconde à Tianjin » selon son patron, Zhang Chunguang, un ancien militaire, heureux propriétaire d'un ceinturon des forces spéciales, d'un lot de *smartphones* et d'un imposant 4x4 noir flambant neuf stationné sur le parking. Devant la place réservée à son véhicule se dresse un énorme rocher sur lequel a été gravé le slogan : « Combattre pour le Progrès ».

Dans cette usine de l'Est de la Chine, la pâte de concentré de tomates provient du Xinjiang. Elle a traversé le Nord de la Chine dans des wagons de marchandises, avant de parvenir ici au terme d'un voyage de plus de trois mille deux cents kilomètres, d'ouest en est. Sur le site, elle est partiellement réhydratée et conditionnée pour la vente au détail en petites boîtes de conserve. Après quoi, les conserves seront immédiatement expédiées par bateau vers le reste du monde.

III

La Tianjin Jintudi Foodstuff exporte annuellement 50 000 tonnes de marchandises, soit l'équivalent d'environ 2 000 conteneurs. L'entreprise, qui compte 140 employés, expédie ses conserves dans un très grand nombre de pays, comme l'atteste la diversité des marques présentes dans ses entrepôts. Ses boîtes en fer-blanc pleines de concentré seront commercialisées en Afrique, au Proche-Orient ou encore en Europe. « Récemment, nous avons expédié du concentré en Allemagne et en Suède », souligne le patron, M. Zhang Chunguang.

Dans l'atelier, de l'autre côté de la machine rangeant automatiquement les conserves dans les cartonnages, un ouvrier glisse continuellement des couvercles de plastique entre les boîtes de 400 grammes de concentré prêtes à être expédiées. Ces boîtes sont destinées à l'Afrique de l'Ouest. Parmi les lointains consommateurs de cette marchandise, certains, trop pauvres pour s'offrir une toute petite boîte de 70 grammes, achèteront leur concentré au détail, dans une feuille de papier, auprès d'un commerçant qui le vendra à la cuillère pour quelques centimes d'euro la dose. Le couvercle en plastique que glisse l'ouvrier dans les cartons servira à refermer les boîtes de 400 grammes ouvertes sur les étals des marchés africains, afin que le produit ne se gâte pas trop vite. Mis bout à bout, ces sommes infinitésimales d'argent, ces innombrables petites cuillères africaines, représentent un chiffre d'affaires colossal. Et c'est ainsi qu'est structurée aujourd'hui une partie du marché africain pour les populations les plus pauvres. L'émergence du marché, à la petite cuillère…

IV

« Nous ne pouvons pas aller dans cette salle », me lance abruptement M. Ma, en pointant du doigt le rideau d'épaisses bandes de plastique translucides vers lequel je me dirige. Je feins la surprise, puis l'indifférence, mais l'adrénaline m'envahit. Pourquoi ? Dans l'atelier que nous venons de parcourir, le long des lignes de production, j'ai vu tous les postes, celui du conditionnement, celui du remplissage des boîtes et du sertissage, en passant par le contrôle du poids et de la conformité, puis l'emballage, mais je n'ai aperçu aucun baril bleu de triple concentré du Xinjiang : le stade où la matière première est aspirée par une grosse pompe, puis injectée dans le circuit de transformation. Pour un visiteur non averti, il semble que la ligne débute avec les énormes machines de réhydratation du fond de l'usine, des cuves aux formes arrondies, à l'allure de *Spoutnik* percés de petits hublots où l'on entrevoit le rouge de la matière première en cours d'homogénéisation : les fameuses *boules*, qui n'ont presque pas évolué technologiquement depuis le XIXe siècle.

Les *boules*, je les ai bien vues, mais derrière elles se dresse un haut mur de parpaings... En réalité, elles ne constituent pas le début de la ligne de production. Derrière le mur, et donc derrière le rideau de plastique qui marque l'entrée de la pièce interdite, se trouve nécessairement la station de pompage, l'endroit où le contenu des fûts de triple concentré est aspiré pour être déversé dans les *boules*. Mais ici, sur l'instant, je subodore qu'il s'y passe autre chose ; que l'on n'injecte pas seulement le contenu des fûts... Dans les entrepôts de stockage, quelques minutes auparavant, j'ai aperçu à côté des barils bleus des empilements de grands sacs blancs. Il y avait bien un tas qui était étiqueté « *salt* », mais tous les sacs ne portaient pas pour indication « sel ». J'avais eu vent des mauvaises habitudes des Chinois. En me refusant l'accès à la station de pompage, M. Ma ne fait donc qu'augmenter la suspicion dont on m'a fait part. Il me faut absolument voir cette pièce, cette étape interdite... Oui, mais comment ?

Une heure plus tard, mon collègue Xavier Deleu tourne des portraits vidéo de M. Ma pour le film documentaire que nous réalisons ensemble. Je regarde M. Ma aller et venir. Marcher le long des barils. Se prêter au jeu des plans de présentation. Je l'observe, discret comme un chat guettant l'instant propice où me dérober à sa vigilance.

Maintenant. Je sors de l'entrepôt d'un pas rapide, passe devant les cartonnages, remonte à toute vitesse l'ensemble de la ligne en veillant à ne pas glisser... Deux minutes plus tard, j'écarte enfin le rideau de plastique, passe la tête, la redresse. En hauteur, à ma gauche, j'aperçois le dos d'un ouvrier derrière un tas de sacs. L'homme travaille dans un nuage de poudre blanche. Il est au-dessus d'une très haute cuve. Quand il se retourne pour attraper un autre sac, nos regards se croisent. Il porte un masque. Je le salue d'un sonnant « *Ni hao !* », en levant la main, et attends sa réaction. Il me sourit et me salue à son tour. OK. Je grimpe les escaliers, atteins la petite plateforme où s'entassent les sacs et salue une seconde fois l'ouvrier, qui semble amusé de me voir à ses côtés. En penchant la tête, je découvre un grand pétrin mécanique. Le travailleur a pour tâche d'y vider des sacs de poudre blanche : il coupe le concentré qui sera réhydraté et mis en boîte de l'autre côté du mur. Les étiquettes des boîtes mentionneront : « Ingrédients : tomates, sel ».

De quoi est faite cette poudre blanche ? Trois types de sacs sont entreposés. De la fibre de soja. De l'amidon. Du dextrose. Le dextrose est une poudre blanche inodore, finement cristalline, au goût de sucre. Grâce à son extrême finesse, le dextrose augmente la miscibilité des ingrédients auxquels on l'ajoute : c'est un liant puissant, extrêmement soluble dans l'eau, qui permet de couper efficacement le concentré de tomates à autre chose.

Par l'embouchure d'un tuyau, un liquide rouge coule dans le pétrin. Je sors mon téléphone pour filmer la scène et avoir une preuve de cette pratique. Le pétrin s'enclenche, la poudre rincée d'un filet d'eau rouge devient pâte.

Je redescends les escaliers, contourne le pétrin mécanique et découvre cette fois quatre ouvriers portant d'épais tabliers, des masques, ainsi que des gants de caoutchouc. Eux sont chargés d'une autre tâche. Une vingtaine de gros bidons répugnants se trouvent alignés derrière eux, d'une capacité d'environ 25 ou 30 litres. Tous sont pleins d'une mixture opaque. Les ouvriers se mettent à deux pour les porter, puis les vider dans une machine qui les injecte dans le système d'alimentation. Le liquide épais est orange carotte. Il s'agit de colorants.

À mon retour dans l'entrepôt, face à la caméra de Xavier Deleu, M. Ma continue d'aller et venir le long des barils, tel un mannequin défilant sur un podium. Il ne s'est aperçu de rien.

V

Une heure plus tard, dans son bureau, tandis que j'interroge M. Ma sur la qualité de ses conserves, il me présente les certifications qualité et les honneurs obtenus par son entreprise, la Jintudi : « Voici notre certification internationale ISO 22 000, obligatoire pour les entreprises d'exportation. Et voici notre certification ISO 9001, qui nous permet de vendre sur le marché domestique. Ce sont des certifications indispensables pour une entreprise de production alimentaire. Nous avons obtenu toutes ces certifications. Nous avons également été reconnus officiellement comme l'un des “leaders des entreprises agro-alimentaires” à Tianjin. Enfin, d’après le bureau d’inspection et d’examen des marchandises de la Douane chinoise, nous sommes “une entreprise de bonne crédibilité”. Ce sont des honneurs que notre entreprise a obtenus petit à petit, au fil des dix dernières années de notre développement. Nous en sommes très fiers. »

VI

À la nuit tombée, M. Ma et son patron nous retiennent à dîner, dans l’aile du bâtiment dont la façade porte en lettres d’or l’inscription « Recherche et Développement ». Un intitulé ronflant n’ayant pas le moindre sens puisqu’elle n’abrite aucun laboratoire, aucun bureau d’études, et qu’ici, dans l’usine, on se contente de diluer et de couper un concentré de très médiocre qualité pour remplir des unités, les boîtes standards de petite et de moyenne contenance qui seront empilées et chargées n’importe comment dans des conteneurs, puis embarquées pour un voyage maritime de plusieurs semaines. Certaines, parce qu’elles auront reçu des chocs violents lors de la manutention, auront été endommagées. Une infime quantité d’air sera passée à l’intérieur, à travers le sertissage. Avec la chaleur du conteneur, le temps du transport maritime, et celui de l’acheminement du port de marchandises au grossiste, inéluctablement certaines boîtes se bomberont ou exploseront avant même leur arrivée à destination.

Dans le vaste salon où doit se tenir le dîner, deux femmes livides, qui semblent épuisées, dressent la table. Elles vont et viennent entre la salle de réception et la cuisine, apportent les plats. M. Chunguang propose un rafraîchissement. Il apporte une énorme citerne de bière allemande dont il n'est pas difficile de comprendre qu'elle lui a été offerte par des clients germaniques. Le patron nous invite à goûter et apprécier le jus de tomate que produit l'usine. « Pas de frontière nationale », indique la canette, dont je verse le contenu dans un verre pour en observer la couleur et la texture. Je ne peux m'empêcher de sourire à la vue de ce que je m'apprête à boire, car la boisson est terrifiante : marron, elle coule en caillots. Après décantation, une pellicule d'eau se forme en surface. Je n'ai pas encore goûté le « jus », mais j'ai déjà compris qu'il s'agit d'un produit réalisé à partir de triple concentré réhydraté. Un jus de tomate a normalement une teneur en eau et en matière sèche équivalente à celle de tomates fraîches, que l'on presserait dans la simple intention de les boire, et auxquelles rien ne serait ajouté. Produire du « jus de tomate » à partir de triple concentré est une véritable absurdité. De plus, un concentré de bonne qualité est rouge, il n'est pas sombre. Je n'ai pas encore porté mon verre à mes lèvres, mais je sais déjà que le concentré qui a servi à l'élaboration de cette boisson a été « cramé » à l'usine, lors de sa production au Xinjiang : surchauffé, le produit a perdu ses qualités gustatives, nutritives, et c'est pourquoi il a pris une teinte foncée. À moins que le concentré utilisé pour produire le « jus de tomate » ait été une pâte de tomates vieille de plusieurs années, ce qui n'est pas non plus à exclure...

Nous portons un toast à l'industrie de la tomate. Sans surprise, le breuvage est terriblement mauvais. « Aimez-vous notre jus de tomate ? » me demande M. Chunguang tandis que je peine à déglutir. Je garde le liquide en bouche quelques instants, puis me résigne à l'avaler. « Il est formidable, lui dis-je en dressant mon pouce vers le haut. – Je suis content qu'il vous plaise, poursuit M. Chunguang, car nous allons bientôt commencer à l'exporter. »

Chapitre 14

I

Salon international de l'alimentation, Villepinte, France

Le « rendez-vous mondial », s'autoproclame-t-il. « *Inspire Food Business* », dit encore son slogan, en cette édition d'octobre 2016. Assister au grand rituel de l'agrobusiness globalisé qu'est le Salon international de l'alimentation (SIAL) vous oblige tout d'abord à traverser les immenses étendues entièrement urbanisées qui mènent au Parc des expositions de Villepinte, puis à vous engouffrer dans de longues files d'attente où des hommes en costume parlent toutes les langues du monde. Une fois retiré votre badge d'accréditation, vous devenez l'un des 155 000 visiteurs, dont 70 % sont des étrangers, venus de 194 pays. Vous pénétrez dans une ruche gigantesque pour y découvrir les alvéoles de 7 000 exposants. À l'échelle de la planète, le SIAL est le plus grand événement de l'industrie alimentaire. 40 % des stands du SIAL présentent des produits semi-transformés. Ce marché des « produits alimentaires intermédiaires », c'est-à-dire semi-finis, est en forte croissance. Il rassemble tout à la fois les cubes de viande, la farine, les arômes, les colorants, les conservateurs, autant que le concentré de tomates. Un univers souterrain, inconnu du consommateur, où l'on produit et l'on s'échange les nombreux ingrédients dont le nom sera plus tard écrit avec une police minuscule sur le produit fini. Ces « produits alimentaires intermédiaires » représentent 25 % du chiffre d'affaires de l'industrie mondiale, soit à peu près mille milliards de dollars.

Le « rendez-vous mondial » rassemble tous les deux ans l'ensemble des décideurs et des acheteurs de l'agrobusiness, toutes filières confondues. Parmi les exposants, toutes les grandes conserveries européennes, et notamment les Italiens du Sud. Le salon est fréquenté par les plus grands traders de concentré, ainsi que par toutes les grandes compagnies chinoises du secteur, qu'ils soient producteurs de barils de concentré ou qu'ils gèrent une conserverie où se fait le reconditionnement de la pâte du Xinjiang.

Le SIAL est réputé donner un accès au business alimentaire en Afrique. C'est par conséquent un rendez-vous à ne pas manquer pour les industriels chinois de la tomate. Pour moi, c'est une occasion rêvée de mieux comprendre les stratégies commerciales des conserveries chinoises.

II

À Tianjin, au sein de la Jintudi, j'ai découvert que la conserverie coupe son concentré de tomates avec des additifs moins chers que la tomate. Des experts m'ont affirmé être au courant de cette pratique chinoise. Mais il me reste encore à découvrir quelle est sa proportion. Le SIAL est une aubaine : toutes les grandes conserveries chinoises y tiennent un stand. « Les Chinois sont très présents au SIAL, car c'est un événement très fréquenté par les distributeurs africains, m'explique le trader uruguayen Juan José Amézaga. Dans l'agrobusiness africain, le SIAL est un passage obligé. »

Mon objectif est simple : approcher les conserveries chinoises, découvrir leurs pratiques commerciales en Afrique. Il me faut recueillir des informations auprès de leurs commerciaux. Mais comment imaginer un instant qu'ils parleront en toute franchise à un journaliste de leurs secrets[1] ? Pourquoi une conserverie chinoise avouerait-elle qu'elle conditionne autre chose que du concentré

1. En juillet 2012, un article signalait que des exportateurs européens de concentré de tomates vers le marché africain se plaignaient de la concurrence déloyale que leur faisaient des « re-packers » chinois, en mettant en circulation du concentré « frelaté », coupé avec des fibres végétales. Emma Slawinski, « Exporters denounce substandard Chinese canned tomato paste », *FoodNews*, 6 juillet 2012.

dans ses boîtes ? C'est improbable. J'ai donc décidé d'appâter les conserveries chinoises.

J'ai mis au point un boniment, que je répète durant deux jours, stand après stand, à tous les Chinois du secteur. Mon stratagème fonctionne et prend rapidement des allures de bataille navale. Mon plan du salon se couvre d'abord de cercles, puis de croix. J'écume les stands chinois les uns après les autres, méthodiquement, afin de récupérer brochures et échantillons.

III

« Vous êtes spécialisés dans les boîtes de concentré de tomates ? Ma famille a des intérêts au Gabon, depuis trois générations. Nous y faisons beaucoup de choses, notamment de l'import-export de boîtes de conserve. Nous aimerions nous lancer dans le business du concentré de tomates. Je suis venu au SIAL pour me familiariser avec ce négoce et y découvrir des opportunités. Où êtes-vous basés en Chine ? Qu'avez-vous à me proposer ? »

Une fois l'hameçon lancé, il n'y a plus qu'à écouter attentivement les réponses des conserveries chinoises. « Nous proposons différentes qualités selon vos besoins », est la réponse convenue la plus courante. Des « qualités » généralement appelées, sur les grilles tarifaires des industriels chinois, « A », « B », « C », et ainsi de suite. Et ce, bien qu'en réalité ce ne soit pas véritablement les

« qualités » de concentrés de tomates qui diffèrent à l'intérieur des boîtes, mais seulement le pourcentage réel de concentré qu'elles contiennent, comme je le comprends très vite. La qualité « A » est le plus haut pourcentage, variable en fonction des pratiques de la conserverie chinoise. Pour les qualités suivantes, le pourcentage de concentré décroît. Sur quinze entreprises chinoises rencontrées, c'est-à-dire tous les acteurs majeurs de ce négoce – les conserveries qui couvrent l'essentiel du spectre des exportations de petites boîtes de concentré en Afrique –, je n'en ai rencontré aucune qui commercialise sur le marché africain un produit pur, non coupé. La fraude est massive si l'étiquetage ne fait pas mention de ces ajouts. Or, au SIAL, sur les échantillons que j'ai recueillis, aucun ne mentionne des additifs. Pour les principales conserveries chinoises que j'ai démarchées, c'est systématique.

Les argumentaires des commerciaux chinois ne sont cependant pas uniformes. Si certains sont extrêmement francs à propos de leurs pratiques et livrent volontiers à l'acheteur potentiel que je suis les ficelles du métier – en espérant que je devienne prochainement l'un de leurs clients –, d'autres affichent une mauvaise foi déconcertante. Je comprends rapidement qu'ils essaient de tirer profit de l'apparente naïveté avec laquelle je les approche pour tenter de m'arnaquer. Je ne me laisse pas faire et pousse mes interlocuteurs dans leurs retranchements. Je découvre un répertoire, une palette de « qualités » de mensonge.

Qualité D : « Nous mettons des drapeaux italiens sur nos boîtes de conserve pour rappeler que l'Italie est le pays de la tomate. »

Qualité C : « Notre qualité est l'une des meilleures du marché. Une dégustation ? »

Qualité B : « Regardez. (*Ouverture de la boîte.*) Vous voyez, la belle couleur de ce concentré ? (*Il est sombre.*) C'est comme cela que les gens l'aiment en Afrique. »

Qualité A : « Il n'y a rien d'illégal dans le fait d'ajouter de l'amidon ou du soja. Non, cela ne figure pas sur l'étiquette. Mais ce n'est pas grave. Tout le monde le fait. »

Parmi les représentants des conserveries chinoises, je fais la connaissance d'un commercial gastronome : « Certains préfèrent que l'on rajoute de l'amidon, pour d'autres c'est du soja ou de la poudre de carotte. Nous nous adaptons aux goûts des consommateurs africains. » Je rencontre aussi le fournisseur prudent : « Quand nous commençons à faire du business avec quelqu'un, au début, nous ne lui proposons que de la qualité A, ne serait-ce que pour voir si tout se passe bien. Si vous ne nous prenez que quelques conteneurs, je ne pourrai pas vous faire d'offres intéressantes. En revanche, après, quand on est en confiance, ou si vous commandez de plus gros volumes, nous pouvons trouver des solutions pour faire baisser les prix, en ajoutant de l'amidon... »

Il y a aussi le commercial pragmatique : « Non, vraiment, c'est tout à fait inutile que je vous donne l'échantillon de qualité A pour le Gabon. Prenez celui-ci. (*Bruit de la boîte posée brutalement sur le comptoir.*) C'est ça, le moins cher. C'est ça qu'il faut pour le Gabon. » J'insiste, j'aimerais tout de même avoir un échantillon A. « Non, non. Pas pour le Gabon », tranche-t-il.

IV

La qualité A est peut-être la meilleure, aucun fournisseur chinois n'affirme cependant qu'elle est pure. « Les contrôles du port de Canton sont plus stricts qu'à Tianjin ou à Shanghai », me fait savoir un commercial qui prétend être le bon élève du business : ses boîtes ne contiendraient que 5 % d'amidon. Vrai ? Faux ? Argument commercial ? Sa plaquette affirme en mandarin, en anglais, en arabe, ainsi que dans un français approximatif, que son entreprise produirait plus de 3 milliards de boîtes de conserve par an. La brochure s'enorgueillit du fait que les tomates de son concentré proviennent de « plantations non polluées ». La conserverie affirme aussi qu'elle serait « le seul fabricant de tomates dans le Sud de la Chine qui contrôle sa production, de la source jusqu'aux produits finaux ». Peut-être suis-je trop méfiant, mais cette prose m'en évoque une autre, plus poétique, celle d'une entreprise basée à Hebei, non loin de Tianjin : « Nous avons choisi le Xinjiang pour nos tomates, parce que c'est un endroit beau et riche, dit la brochure. Le sol n'y est pas pollué, l'eau provient de la fonte des neiges et le coucher du soleil y est formidable. » Bien que les boîtes produites par cette entreprise affichent une contre-vérité en affirmant ne contenir que de la tomate et du sel, le commercial de la conserverie est, pour sa part, tout à fait sincère : « Nos boîtes ne sont pas chères parce qu'elles ne contiennent que 45 % de concentré de tomates. C'est la moyenne du marché en Afrique. »

V

45 % de concentré, pour 55 % d'additifs… Lors de mon reportage au Ghana, je découvrirai que, désormais, un industriel chinois se contente pour sa part de n'intégrer que 31 % de concentré de tomates dans ses boîtes, le reste, les 69 %, étant des additifs. Alors que des millions de petites boîtes de concentré chinois annoncent sur leur étiquette ne contenir que de la tomate et un peu de sel, elles contiennent en réalité moins de la moitié de ce qu'elles affirment être.

Toutes les fois que je quitte un stand du SIAL en tenant dans mes mains des échantillons, je ne peux m'empêcher de les observer longuement, d'éprouver une sorte de stupéfaction et de malaise au contact de leur métal froid : les contrefaçons de concentré se sont totalement substituées au produit d'origine.

Comment un phénomène d'une telle ampleur a-t-il pu devenir, en quelques années, une norme continentale, du moins à l'échelle de toute l'Afrique subsaharienne ?

Les entreprises chinoises aiment reproduire des cartes du monde sur leurs brochures, elles s'enorgueillissent d'exporter dans de nombreux pays qu'elles marquent d'un point rouge. Les pays d'Afrique sont surreprésentés.

Au fil de cette enquête, en me rendant en Chine, puis en me faisant passer au SIAL pour un importateur de concentré auprès des conserveries chinois, j'ai découvert que ce scandale n'avait jamais fait l'objet d'une investigation. Il concerne aujourd'hui plusieurs centaines de millions de consommateurs en Afrique. Selon de nombreux experts de la filière mondiale, les autorités chinoises seraient informées, mais elles fermeraient les yeux pour ne pas impacter la « compétitivité » des conserveries. Le procédé, devenu extrêmement courant, rappelle les pratiques qui avaient cours dans beaucoup de conserveries au XIXe siècle, du temps où les législations sanitaires n'existaient pas et où l'on pouvait s'intoxiquer en consommant une boîte de conserve. Les commerciaux des conserveries chinoises prétendent que les additifs qu'ils utilisent ne sont pas toxiques. Pourtant, au Nigeria, des analyses réalisées par l'Agence nationale antifraude ont mis en lumière, ces dernières années, la toxicité de certaines boîtes de concentré commercialisées en Afrique.

VI

Pour le trader uruguayen Juan José Amézaga, expert de la filière mondiale, « les distributeurs écoulant en Afrique des millions de boîtes de concentré coupé au soja, à la carotte, à l'amidon, au dextrose, aux colorants et autres ingrédients mystères, ne sont pas les victimes de cette fraude. En réalité, les distributeurs sont les commanditaires. Ils passent commande à une conserverie chinoise, puis ils négocient le prix en fonction de la qualité ». Le cahier des charges s'avère bien souvent identique d'un client à l'autre : les distributeurs cherchent le produit le moins cher possible.

Les conserveries chinoises proposent donc de faire entrer dans la composition du concentré un certain pourcentage d'additifs ; pourcentage que le distributeur fixe lui-même, dont il est le seul décisionnaire. C'est la manière de négocier le prix à la baisse, proportionnellement. Si le distributeur le désire, la conserverie chinoise peut lui adresser des échantillons des additifs et du produit final, afin qu'il puisse le tester, un peu à la manière dont le feraient des chimistes… ou des dealers de drogue. Quelle différence y a-t-il ?

Lorsque l'affaire est conclue, l'importateur-distributeur envoie par courriel la maquette du graphisme qui habillera la boîte de conserve. À Tianjin, la filière est complète : la conserverie commande à son sous-traitant local la production de boîtes de fer-blanc imprimées, les couvercles en plastique, les cartonnages d'emballage. Que les indications soient fantaisistes, mensongères, rédigées en français, en anglais, en italien ou en arabe, que l'étiquette déclare ou non la provenance chinoise, qu'elle soit seulement rouge ou aux couleurs de l'Italie afin de feindre cette origine, qu'elle présente des fautes d'orthographe, déclare un produit « halal », « naturel », « frais » ou « *green* », qu'elle soit une contrefaçon de marque, illustrée d'une femme africaine ou de belles tomates charnues, peu importe. La conserverie chinoise se soucie seulement du fait que l'étiquette imprimée soit conforme au modèle adressé par son client, et que la boîte soit pleine de quelque chose ressemblant à du double concentré de tomates.

VII

Parme, Émilie-Romagne

« Le tout premier à avoir ouvert une conserverie à Tianjin afin d'exporter vers l'Afrique, ce fut Liu Yi, avec son usine Chalkis, la Chalton. Peu après, Cofco Tunhe a fait la même chose, en ouvrant sa conserverie », se souvient Armando Gandolfi, numéro un mondial du trading de concentré.

« Les deux rivaux ont alors mis en place une capacité de production absolument insensée par rapport à la demande du marché, et ils ont commencé à se livrer une guerre des prix. À ce moment-là, d'autres petites conserveries chinoises sont arrivées. Pour pouvoir exister sur le marché, ces petites conserveries ont commencé à ajouter, dans le concentré à destination de l'Afrique, des additifs comme le soja, l'amidon, le sucre, des colorants... Aujourd'hui, en Afrique, rares sont les boîtes qui contiennent plus de 50 % de vrai concentré.

« Avec une capacité de production énorme par rapport à ce qu'était la demande réelle, la bataille n'a porté que sur le prix, parce que rien d'autre n'a été fait, ni au niveau de l'image, ni au niveau de la qualité du produit. Toute la concurrence sur ce marché des petites boîtes de concentré vendues en Afrique s'est structurée autour des prix, ce qui est typiquement chinois. Et c'est ainsi qu'ils se sont autodétruits. De la conserverie de Cofco Tunhe à celle de Chalkis, toutes ont fait faillite parce que le système a implosé. Il y en a encore d'autres en Chine, mais selon moi, c'est sûr, elles feront faillite tôt ou tard. C'est mathématique : quand vous basez votre production sur les coûts, et que donc vous ne créez rien, mis à part la logique du prix bas, sans respecter la moindre règle, à un certain moment, c'est évident, vous arrivez dans une impasse. Si vous mettez seulement 50 % de concentré, un jour une autre conserverie en mettra 48 %. Puis une autre en mettra 46 %, et ainsi de suite. Et donc vous ne construisez rien. Vous avez seulement pourri le marché de façon irréparable. De plus, vous créez un problème de santé pour le consommateur. C'est ce qui est en train de se passer en Afrique avec ces boîtes pleines d'additifs. La Chine a ses priorités politiques. Ces priorités, ce sont l'expansion et la possibilité de créer du travail. Ce sont les priorités de l'État chinois. Parallèlement à cela, les autorités ferment les yeux sur d'autres choses. En l'occurrence, du côté des conserveries qui travaillent le concentré, Pékin laisse tout le monde faire ce qu'il veut. Cela ne concerne pas seulement la tomate. Cela se passe comme ça pour beaucoup de produits[1]. »

1. Entretien avec Armando Gandolfi, 26 juillet 2016.

Chapitre 15

I

Tuobodom, district de Techiman, région de Brong Ahafo, Ghana

Ils ont saisi les mains tendues. Les derniers journaliers montent à bord de la remorque, puis s'y tiennent debout, arrimés à un point d'accroche métallique, ou à un autre passager. Dès le premier coup de gaz, le triporteur se cabre en hennissant contre l'extrême surcharge. Tous les hommes se jettent vers l'avant du véhicule pour l'équilibrer. Quelqu'un m'écrase le pied, l'une de mes mains couvre une tête, un coude s'enfonce dans mes côtes. Qu'importe. Par nos contorsions de passagers surnuméraires, nous modifions le centre de gravité. Domptée, dans un grognement, la pauvre machine se met à avancer comme par miracle, sur trois roues cette fois.

On l'appelle ici le « Motor King ». Distribué en Afrique de l'Ouest sous cette marque, l'utilitaire chinois est très apprécié des paysans ghanéens. Véritable centaure des campagnes, il s'agit d'une brave 125 cm³ affublée d'un corps de remorque. Comme partout en Afrique, l'arrivée massive de ces triporteurs a révolutionné la motorisation du continent.

Les murs de brousse défilent au rythme des cahots, et la piste, peu à peu, se mue en une véritable galerie creusée dans ce qui paraît être une montagne de verdure. Chacun courbe la tête afin d'éviter les branchages. Lorsque le sentier est ascendant, le triporteur est à la peine. Mais lorsque le chemin est en pente, entraîné par sa charge, le Motor King adopte l'allure menaçante d'un véhicule hors de contrôle, protégé par les seuls talismans qu'il arbore sur sa carrosserie : de grands autocollants à la gloire de Jésus-Christ et de Mouammar Kadhafi.

Au cœur de l'épaisse chaleur humide, de nombreux hommes courbés dans le champ cueillent des tomates, puis les versent dans des caisses de bois artisanales. Elles sont bientôt chargées sur le triporteur, où la marchandise prend la place qu'occupaient les travailleurs auparavant.

Curieuse tomate. Domestiquée avant la colonisation espagnole des Amériques par les Aztèques, quasi inexistante dans l'alimentation de l'espèce humaine au XVIe siècle, toujours marginale au XVIIIe, arrivée véritablement dans les capitales européennes au XIXe siècle suite à l'invention de la machine à vapeur et au développement des lignes de chemins de fer, puis introduite en Afrique par les Européens durant la colonisation du continent, simultanément à l'émergence de l'industrie de la conserve, son épopée planétaire se poursuit ici : au bout d'une piste étroite, parmi la végétation luxuriante, dans un champ du Nord du Ghana situé à huit heures de route de sa capitale, Accra.

Le champ de tomates a une surface de deux hectares et se situe aux environs de Techiman, dans une région agricole dont la culture de la tomate est une spécialité. Le Ghana compte 90 000 petits producteurs de tomates, à l'origine d'une production de plus de 500 000 tonnes de fruits, dont environ 30 % sont perdus chaque année à cause d'une production excédentaire, notamment lors de la saison des pluies. Le chiffre de la production officielle, en 2014, était de 366 772 tonnes de tomates fraîches.

À l'activité strictement agricole des paysans s'ajoute celles, commerciale et logistique, de 300 000 personnes, pour l'essentiel des femmes, qui négocient les achats, organisent les expéditions et tiennent les étals des marchés. De sa culture à son arrivée dans un plat, une tomate implique le travail d'environ vingt-cinq Ghanéens[1]. Le douzième pays le plus peuplé d'Afrique compte 28 millions d'habitants. La tomate, qui entre dans la composition de la plupart des plats populaires, représente ici 38 % des dépenses de légumes de la population.

---

1. Mohammed Issah, « Right to food of tomato and poultry farmers », Send Foundation et Union européenne, novembre 2007.

Après son indépendance le 6 mars 1957, le Ghana a d'abord été un modèle du panafricanisme, il a connu une économie administrée sous son premier président, Kwame Nkrumah. Investissements dans l'éducation, la santé, les infrastructures... Son gouvernement lança une politique « anti-impérialiste » d'industrialisation, dont l'objectif était de réduire les importations. À cette époque, au début des années 1960, pour ne plus gaspiller les surplus de tomates, le pays se dote de deux usines de transformation.

Le socialiste Kwame Nkrumah est renversé par un coup d'État militaire soutenu par la CIA le 24 février 1966, qui ouvre une longue période d'instabilité. Elle dure jusqu'à l'arrivée au pouvoir, en 1979, par un autre coup d'État militaire, de Jerry Rawlings. Ce dernier, avec l'appui des institutions financières internationales, fait du Ghana le modèle africain des politiques néolibérales. Après leur réouverture durant la période d'instabilité politique, les deux usines de transformation de tomates ghanéennes ferment à nouveau à la fin de la décennie 1980, suite aux réformes structurelles voulues par le Fonds monétaire international (FMI). Après quoi, les usines rouvriront... pour fermer encore. Ce sont aujourd'hui des montagnes de rouille. Celle de Pwalugu, annoncée par des panneaux couverts de corrosion, ainsi qu'un mur entièrement écaillé où l'on peut toujours lire « Northern Star Tomato Factory », est envahie de mauvaises herbes. Alentour, parmi les villageois, beaucoup se souviennent qu'elle donnait du travail et représentait pour eux une véritable richesse.

Le Ghana est souvent présenté par la presse économique comme la « deuxième économie d'Afrique de l'Ouest » et fut longtemps considéré comme l'« enfant chéri » ou la « vitrine » du FMI, pour avoir multiplié ses plans d'ajustement. Pour autant, une étude de l'Unicef indiquait en 2016 que 3,5 millions d'enfants y vivent dans la pauvreté et que 1,2 million d'entre eux ne sont toujours pas correctement nourris par leur famille. Selon la Banque mondiale, 25 % des 28 millions de Ghanéens vivent en dessous du seuil de pauvreté. Le Ghana manque d'infrastructures, notamment sanitaires et électriques. L'économie de cette ancienne colonie britannique demeure entièrement dépendante de l'exportation des matières premières. L'or (2e producteur mondial), le cacao (2e producteur mondial) et le pétrole représentent plus de 70 % des exportations du pays, également riche en diamants, bauxite et manganèse. Face à la stagnation de son économie depuis plusieurs années, le Ghana a eu recours, en 2015, à un nouveau prêt d'un milliard de dollars du FMI, conditionné par la mise en œuvre d'un énième plan de rigueur budgétaire prévoyant notamment une baisse des dépenses publiques. Soixante ans après son indépendance, l'agriculture du pays reste lourdement concurrencée par les denrées agricoles d'importation.

Depuis vingt ans, les importations de concentré de tomates ne cessent d'augmenter au Ghana.

Selon les statistiques de la FAO, elles sont passées de 1 225 tonnes en 1996 à 24 700 tonnes en 2003, pour atteindre les 109 500 tonnes en 2013[1] ! Soit une augmentation de 9 000 % sur près de vingt ans. En 2014, selon l'Observatoire de la complexité économique du Massachusetts Institute of Technology (MIT), le Ghana a importé pour 113 millions de dollars de concentré de tomates, dont 85 % en provenance de Chine. Le Ghana, porte d'entrée du concentré chinois en Afrique de l'Ouest, a donc importé 11 % de l'immense production chinoise en 2014, tandis que le Nigeria, premier client de la Chine, importait la même année à lui seul 14 % de la production chinoise. Des chiffres dont il faut néanmoins se méfier, pour deux raisons. Tout d'abord parce qu'une grande partie des boîtes de conserve chinoises importées contenaient des additifs. Ensuite parce qu'une partie des importations de concentré de tomates chinois entrent au Ghana sous un autre code douanier beaucoup moins taxé que le concentré de tomates. Il ne s'agit pas d'une erreur des douanes, mais des effets de la corruption qui frappe le pays.

Pourquoi le Ghana, où l'agriculture représente 45 % des emplois, importe-t-il toujours plus de concentré tous les ans, comme beaucoup d'autres pays d'Afrique de l'Ouest, et ce alors qu'il produit et consomme tant de tomates ? Pour quelles conséquences ? Et pourquoi le Ghana, qui possédait jadis deux conserveries spécialisées, ne transforme-t-il plus ses tomates ?

---

1. Il s'agit des statistiques les plus récentes disponibles.

Pour comprendre les transformations de l'architecture globale et complexe de la filière mondiale de la tomate d'industrie, l'Afrique est un excellent indicateur. Les évolutions y sont très rapides et la guerre des prix impitoyable. Selon plusieurs experts, le continent est destiné à devenir dans les prochaines années le plus important marché mondial de la tomate d'industrie. Devant l'Amérique du Nord et l'Europe.

II

Dans le champ, une cinquantaine de journaliers travaillent à la récolte des tomates. Ces tomates fraîches ne sont pas destinées à la transformation, mais au marché. La plupart des journaliers sont eux-mêmes des producteurs de tomates. Quand ils ne vendent pas leur force de travail comme aujourd'hui, ces paysans sans terre travaillent sur de petits lopins qu'ils louent dans les environs. Pour les plus pauvres d'entre eux, il s'agit d'une acre (0,4 hectare), parfois deux, quelquefois trois, pour un loyer moyen annuel de 100 euros l'acre. De manière exceptionnelle, pour les besoins d'une récolte par exemple, ces paysans sans terre qui produisent des tomates peuvent rémunérer d'autres paysans, qu'ils paieront le soir même, une fois les tomates cueillies, livrées et vendues au marché. Les producteurs peuvent également s'entraider : ils échangent des journées de travail afin de récolter leurs champs respectifs.

Aucun des producteurs n'achète ici de variétés hybrides. Leurs tomates sont réensemencées chaque année. Les producteurs s'endettent cependant pour pouvoir acheter des produits phytosanitaires, qu'ils emploient sans formation, sans savoir ce qu'ils contiennent – 60 % des producteurs de tomates sont analphabètes selon une étude gouvernementale – et sans protection d'aucune sorte. « Je suis fort, robuste, mon corps résiste aux maladies, je n'ai pas besoin de mettre des protections », m'explique l'un des travailleurs du champ. « Notre spécialiste pour les produits chimiques, ajoute-t-il, c'est l'homme qui les vend. Il suffit de lui décrire le problème et il trouve la solution, le bon produit. Non, il ne vient pas dans le champ. Il reste dans sa boutique, mais il sait, il a la solution. Notre expert, c'est lui. Si tu lui dis que tu as un problème de chenille, il te donne le produit contre les chenilles. »

Au pied des caisses de tomates, en bordure de la parcelle, la terre est jonchée d'emballages brillants de produits chimiques « *Made in China* » que commercialise l'« expert ». Essentiellement des fongicides et des insecticides, parmi lesquels du chlorpyriphos-éthyl, dont l'impact sur le développement du cerveau des bébés pendant la grossesse a été démontré par plusieurs études scientifiques, et qui peut être à l'origine d'anomalies cérébrales importantes chez les enfants.

« Les produits, c'est ce qui nous coûte le plus cher, ça nous coûte bien plus que la location du terrain », me confient les journaliers, sans être pour autant en mesure d'évaluer combien précisément.

« C'est difficile de savoir. La tomate, c'est comme une loterie, m'explique Kwasi Fosu, le locataire du champ où se fait la récolte. Ici, la tomate, c'est elle qui fait vivre nos familles. Une année, je peux gagner de l'argent. Puis, après, je peux en perdre. Ou juste équilibrer. Ces dernières années, je n'ai fait que perdre et c'est pourquoi je mise toujours moins dans la tomate. » Une « loterie » ? Des « mises » ?

« Dans la tomate, il y a deux grands aléas, précise-t-il. La première incertitude tient à la récolte. On ne sait jamais si les conditions climatiques ou une maladie ne vont pas endommager la culture avant la récolte. Et puis, il y a le marché. Des fois la récolte est très bonne, mais lorsque les tomates arrivent au marché, les prix se sont effondrés. Aujourd'hui cette caisse de tomates va être vendue au marché 200 cedis (45 euros). C'est quatre fois plus que la même caisse l'an dernier. J'ai perdu beaucoup d'argent l'an dernier. Cette année, j'ai loué moins de terres pour la tomate et je pense que je ne devrais pas perdre d'argent, car les prix jusqu'à présent ne sont pas mauvais. Mais je dois encore attendre un peu pour savoir si je vais pouvoir en gagner. Ce qui est sûr, c'est qu'ici, dans la région, nous produisons de moins en moins de tomates. La tomate rapporte vraiment très peu. Beaucoup de personnes ont déjà arrêté d'en produire et je crois que d'autres encore vont arrêter dans les prochaines années. »

Kwasi Fosu est un homme considéré comme riche dans son village. Il détient la case borgne qui y fait office de bar et possède également une motocyclette fabriquée en Chine. Un moyen de locomotion qui, à Tuobodom, témoigne d'un statut social élevé. « Même mon bar ne tourne pas. J'ai pensé que j'allais gagner un peu d'argent lorsque j'ai investi, mais les gens ici sont trop pauvres pour boire. La tomate ne rapporte plus rien. »

Les journaliers récoltant les tomates du champ de Kwasi Fosu ne possèdent ni bar, ni deux-roues. Eux n'ont que leurs bras. Leur capacité d'endettement est extrêmement faible et leur « mise » annuelle dans la tomate l'est d'autant plus. Tous les hommes sont cependant parfaitement d'accord avec leur patron du jour : « La tomate est une loterie. » Parce qu'ils jugent sa production extrêmement risquée, les paysans sans terre sont de plus en plus prudents et réduisent toujours plus leurs parcelles de tomates.

Un jeune homme travaillant dans le champ me raconte ses déboires dus à la tomate : « Il y a quelques années, j'ai fait une bonne récolte, sur une acre. L'année suivante, je me suis dit que j'allais être courageux, que j'allais travailler dur. Je me suis beaucoup endetté pour mettre en culture plus de parcelles, en louant plus de champs. À la fin de la saison, j'avais tout perdu. J'étais incapable de rembourser mes dettes, et plus personne ne voulait me prêter d'argent au village. Ici, être ruiné quand tu n'as pas de terre, c'est être condamné à travailler pour les autres, pour rembourser tes dettes, sans aucune autre perspective. Alors je suis parti en Libye. Au début, je voulais aller en Europe, mais j'ai trouvé du travail en Libye, où j'ai pu économiser pour faire la traversée, payer le passeur, le voyage en bateau. Mais finalement j'ai changé d'avis. J'ai eu peur de faire la traversée et de me noyer en mer, je n'ai pas voulu prendre ce risque. J'avais de l'argent. J'ai préféré rentrer au village. Avec l'argent, j'ai pu rembourser mes dettes. Et maintenant je suis ici. »

Le jeune homme porte un tricot orange « *Free Libya* ». Il est en train de clouer, pour les refermer, des caisses de tomates pleines. Je lui demande s'il était en faveur de la chute de Kadhafi. « Pas du tout, explique-t-il entre deux coups de marteau. Ici, nous aimons beaucoup Kadhafi. Mais j'étais en Libye pendant les événements et ces tee-shirts étaient distribués gratuitement, alors j'en ai pris un. »

III

Les premières caisses de tomates enfin chargées sur le triporteur, un travailleur les sangle, puis escalade la remorque. Le véhicule démarre. Cette fois, pour la première livraison de la journée, ils ne seront que deux hommes à se tenir debout à l'arrière du Motor King. Leur tâche : maintenir fermement les caisses les plus hautes, sur la piste comme sur la route, et ce jusqu'au marché, afin qu'aucune ne chute lors des secousses causées par les ornières dans la piste ou les nids-de-poule sur la route.

Le long de la grande route fument des briqueteries artisanales pestilentielles. Des femmes entretiennent un feu à bois, d'autres mélangent du ciment, du sable, de l'eau, ou moulent les parpaings, sans protection d'aucune sorte, à mains nues. Toutes passent leurs journées à respirer les fumées nauséabondes des matières brûlantes qu'elles mélangent afin de produire des matériaux de fortune. Plus loin, au bord d'un cours d'eau, une mère et ses enfants se lavent, tandis que d'autres femmes font leur lessive. Un peu plus loin, sur le même cours d'eau, un homme remplit une cuve en plastique épais dans laquelle il dilue ensuite ses produits phytosanitaires.

Au Ghana, la gestion du réseau d'eau est catastrophique. Si des réformes de l'eau ont bien été entreprises depuis 1993 en application d'un « Programme d'ajustement structurel » et d'un « Programme de reprise économique », deux décennies de réformes et plusieurs années de contrat de gestion privé n'ont produit aucun résultat significatif pour la population, si ce n'est le renchérissement du prix de l'eau, la baisse de sa qualité et la fin de l'accès au réseau pour de nombreux Ghanéens. Des livraisons par camions-citernes à la vente ambulante dans les rues de petits sachets en plastique, un véritable business de l'eau s'est mis en place dans le pays. Le Ghana est devenu dans ce domaine un paradis libertarien : chacun peut s'improviser entrepreneur et lancer son affaire de petites poches d'eau après avoir acheté une machine de remplissage – il suffit d'être raccordé à un point d'eau. Peu importe que l'eau des poches soit ou non potable, ces petits sacs seront vendus par les canaux du commerce informel, que personne ne contrôle. Et c'est ainsi que la cupidité s'allie à la misère, en faisant de l'eau une marchandise. Il est extrêmement courant de voir des Ghanéens boire en pleine rue en aspirant le contenu de ces sachets en plastique, vendus l'équivalent de 20 à 50 centimes d'euro. Il s'en écoule annuellement 4,5 milliards dans le pays.

Dans beaucoup de villages des environs, il est extrêmement rare de trouver des toilettes salubres, et fréquent de voir des Ghanéens uriner en pleine rue. Si près d'un tiers de la population mondiale n'a toujours pas accès à des toilettes correctes à domicile selon l'Organisation mondiale de la santé, le Ghana se situe parmi les dix pays du monde où ce problème est le plus préoccupant : 85 % des Ghanéens n'ont pas accès à des installations sanitaires, ce qui contribue au développement de maladies comme le choléra.

IV

Le marché des tomates se tient au bord d'une grande route, la N10, où les triporteurs vont et viennent. Il s'agit de l'une des artères principales du pays. La route relie Kumasi, la grande ville du centre, au Burkina Faso, dont la frontière se trouve au nord du Ghana.

Lorsque le Motor King arrive, le chauffeur et les hommes restés debout dans la remorque déchargent les caisses de tomates qui, tout au long de la journée, ne vont cesser de s'entasser, de s'accumuler sur le bord de la route. Et ce jusqu'à la venue, vers dix-sept heures, des camions qui les achemineront vers d'autres marchés, à commencer par ceux de Kumasi ou d'Accra.

Tandis que des hommes déchargent les tomates, des femmes tiennent les comptes et couvrent les marchandises pour les protéger du soleil. À l'aide de gros feutres, elles les marquent du nom de « Jésus », de « Dieu », d'un mot de louange, ou d'un signe quelconque qui puisse permettre de différencier les caisses les unes des autres. Ces femmes sont surnommées « les reines ». Leur rôle est essentiel dans l'économie de la tomate fraîche ghanéenne, car ces intermédiaires fluidifient considérablement la circulation de ces marchandises hautement périssables. Mobiles, voyageant pour certaines d'entre elles dans des villages reculés, les reines sont de véritables négociantes. Les paysans les plus éloignés des marchés attendent généralement qu'une reine passe dans leur village et se propose d'acheter leur production. Si aucune reine ne vient au village, les tomates ne seront peut-être pas récoltées, car ce sont ces femmes qui assurent le paiement et la logistique, c'est-à-dire la venue d'un camion permettant l'enlèvement et l'expédition des caisses.

Ces négociantes sont en lien avec les producteurs autant qu'avec les acheteurs des grands centres urbains. Toutes les transactions se font de gré à gré. Parce qu'elles sont les seules interlocutrices des producteurs de tomates lorsqu'il s'agit d'écouler la production, elles sont les premières accusées lorsque les prix sont jugés trop bas. Pour autant, bien que certaines d'entre elles profitent parfois de la vulnérabilité des producteurs afin de les payer le moins possible, les reines ne sont pas en capacité de dicter, à elles seules, le prix des caisses. S'il est vrai que les mieux organisées d'entre elles parviennent à se hisser socialement et que certaines sont très influentes parce qu'à la tête d'un véritable réseau de distribution, elles ne sont cependant pas constituées en cartel et n'amassent pas des fortunes. En plus d'assurer la logistique, elles prennent un risque lorsqu'elles achètent des tomates qu'elles ne parviennent pas toujours à écouler.

V

Dans les environs, sur les marchés où les femmes viennent acheter leurs denrées alimentaires auprès d'autres femmes tenant les étals, les tomates fraîches sont étrangement peu présentes. Ce sont ici les conserves de concentré de tomates d'importation qui sont le plus demandées. « L'avantage qu'ont ces conserves de concentré par rapport à notre production de tomates, c'est qu'elles ne s'abîment pas », me fait remarquer Kwasi Fosu alors que nous arpentons ensemble le marché et qu'il se trouve face à un étal de boîtes de concentré. Sa perspicacité pourrait prêter à sourire, mais je comprends qu'il est en train de réfléchir à voix haute. Je profite donc de l'instant pour lui demander, bien que je connaisse déjà la réponse, d'où viennent la plupart des boîtes qui se trouvent devant nous. Il interroge d'abord la vendeuse à propos de l'une des marques les plus vendues au Ghana, Pomo (distribuée par Watanmal), dont le nom est bien évidemment une abréviation du mot *pomodoro* signifiant « tomate » en italien. « Cette tomate vient d'Italie », lui réplique la commerçante fièrement, avant de vanter la saveur et la texture de sa marchandise, à propos de laquelle je n'ose pas lui dire la vérité. J'insiste pour que Kwasi Fosu lise la boîte. « *Made in China !* », s'étonne-t-il. Stupéfait, il reste bouche bée. Il n'en revient pas, et la vendeuse non plus. « *China ! China !* répète-t-il extrêmement intrigué. Mais comment font-ils pour exporter de la tomate jusqu'ici ? »

S'ensuit une véritable revue de toutes les marques distribuées sur le marché. Kwasi Fosu se mue en enquêteur et tient à connaître l'origine de toutes les boîtes : Gino, Tasty Tom, Pomo, La Vonce, Tam Tam… Il vient de comprendre que les marques les plus vendues au Ghana sont toutes chinoises. Ici, sur le marché, plus d'une vingtaine de femmes tiennent de petits étals où s'amoncellent des boîtes de concentré chinois. La revendeuse, qui ne cesse de répéter qu'elle était convaincue que ses conserves venaient d'Italie, me donne le nom de son distributeur local, ainsi que des informations sur le débit de ses ventes. Il lui faut trois jours pour écouler un carton de vingt-quatre boîtes de 400 grammes. Elle vend également en moyenne cinquante sachets de 70 grammes de concentré par jour. Au Ghana, depuis quelques années, la présence de ces dosettes de concentré de tomates, en sachet souple et à usage unique, a tendance à remplacer de plus en plus les petites boîtes de conserve. Pour les industriels, ce conditionnement – qui supporte mal les voyages en conteneurs – revient moins cher qu'une boîte de conserve. Mais ils traduisent aussi une nouvelle réalité : de plus en plus de conserveries conditionnent désormais le concentré chinois directement en Afrique...

« C'est sûr, si ça continue comme ça, mes enfants seront obligés de quitter le Ghana pour aller en Europe, se désole Kwasi Fosu. Comment pouvons-nous nous en sortir avec tout ce concentré chinois vendu moins cher que nos tomates ? C'est impossible », lâche-t-il encore, dépité.

Plus loin, au bord de la grande route, sur le marché où s'entassent les caisses, les grands camions viennent d'arriver. C'est le branle-bas de combat. Le chargement des poids lourds s'organise. Les reines donnent des ordres, comptent, recomptent, distribuent des billets dans la dernière lumière du jour. Les caisses chargées, la journée de travail terminée, je retrouve par hasard le jeune journalier revenu de Libye, que je reconnais de loin grâce à son tricot orange. Je lui demande s'il connaît des jeunes du village partis en Europe. « Bien sûr que j'en connais, il y en a énormément qui sont déjà partis. Beaucoup de jeunes qui se retrouvent ruinés dans la tomate, ou à cause d'autres récoltes, partent pour l'Europe. Le dernier du village à être parti, c'était la semaine dernière. Il s'appelait Kogo. »

Chapitre 16

I

En 2015, selon l'Agence des Nations unies pour les réfugiés (HCR), plus d'un million de migrants sont arrivés en Europe par voie maritime. En 2016, le nombre total de personnes ayant atteint l'Europe par la mer a été divisé par trois. Cette réduction s'explique en partie par l'accord conclu entre la Turquie et l'Union européenne en mars 2016, accord qui vise à empêcher les arrivées de réfugiés syriens sur les côtes grecques et qui prévoit que 6 milliards d'euros seront versés d'ici à juin 2018 par l'Union européenne à la Turquie.

Le nombre de réfugiés africains qui ont débarqué en Italie est cependant resté stable, établi en 2015 comme en 2016 à 150 000 personnes par an. Le recours à la route méditerranéenne centrale, entre la Libye et l'Italie, la plus périlleuse de toutes, représente désormais près de la moitié des traversées : 3 771 migrants ont péri en Méditerranée en 2015, et plus de 5 000 autres en 2016.

Ces dernières années, les images spectaculaires des naufrages, de leurs rescapés et des linceuls des migrants morts en mer ont fait le tour du monde. Ces scènes glaçantes inspirent des œuvres aux cinéastes, aux photographes, aux plasticiens et aux romanciers du monde entier. Cette violence impitoyable mobilise des volontaires, des associations, des partis, des clergés, et électrise les débats politiques en Europe. Mais rares sont les évocations du contexte économique global de ce phénomène : celui d'une guerre économique faisant rage sur toute la surface du globe, propre à la nature capitaliste de l'économie mondiale. En effet, parmi les 300 000 Africains arrivés en Italie durant les années 2015 et 2016 cumulées, beaucoup d'entre eux, avant leur arrivée en Europe, travaillaient en Afrique, notamment sur les surfaces agricoles du continent. Désormais, ils travaillent en Europe.

En mars 2016, dans un wagon circulant entre les villes de Nardò et Lecce dans les Pouilles, j'ai rencontré l'un d'entre eux. Un travailleur de quarante ans, originaire du Nord du Sénégal, là où jadis ce pays produisait la totalité de sa consommation nationale de concentré de tomates. Tandis que j'enquêtais sur les conditions de travail des Africains qui récoltent des tomates dans les Pouilles, je venais donc de rencontrer un ancien cueilleur de tomates du Sénégal, qui désormais, chaque été, cueille des tomates en Italie… Jamais déclaré, payé à la tâche, il est rémunéré en moyenne 20 à 25 euros par journée de récolte, sous un soleil de plomb. Après m'avoir raconté sa traversée de la mer « par la barque », son arrivée à Lampedusa et la dureté de son quotidien dans les Pouilles, ce travailleur m'a dit sa nostalgie : « La récolte des tomates au Sénégal n'était pas un travail facile et c'était peu payé. Pourtant, je regrette cette époque où je récoltais des tomates au Sénégal, car chez moi, au moins, je n'étais pas traité comme un esclave. » En un regret, il venait de résumer les conséquences humaines désastreuses du libre-échange.

II

Au lendemain de l'indépendance du Sénégal, le 20 août 1960, apparaît une célèbre marque de concentré de tomates en Afrique, produite par la Société de conserves alimentaires au Sénégal (Socas) du groupe Sentenac[1] : Dieg Bou Diar. En wolof : « celle qu'on s'arrache ». La boîte Dieg Bou Diar est illustrée par l'image d'une femme africaine portant sur sa tête un panier de tomates du Sénégal. Deux agronomes sont à l'origine de la filière sénégalaise dans les années 1960 : Ibrahima Fédior et Donald Baron. Le premier, sénégalais, producteur de tomates, deviendra le président du Conseil national de concertation et de coopération des ruraux du Sénégal, et sera un homme clef de la filière. Le second, entrepreneur français,

1. Du nom de l'entrepreneur français Jean Sentenac, arrivé au Sénégal en 1902, dont le père tenait un comptoir d'arachides.

fut longtemps l'un des hommes d'affaires les plus influents du Sénégal. Arrivé au lendemain de l'Indépendance, Donald Baron, aujourd'hui retraité, a fait toute sa carrière dans l'agro-alimentaire au sein du groupe Sentenac, dont il deviendra le patron. L'entrepreneur, très proche du gouvernement de Dakar, fut vice-président du Conseil national du patronat sénégalais et défendit les intérêts des entreprises du Sénégal lors des sommets de l'OMC. À son arrivée au Sénégal, Donald Baron n'est encore qu'un jeune ingénieur agronome français cherchant des terres pour débuter une activité agro-alimentaire autour de la tomate. Après des essais de culture en 1965, puis une première usine pilote en 1969, la Socas installe en 1972 à Savoigne une usine de concentré capable de transformer 200 tonnes de tomates par jour, ainsi qu'une exploitation agricole capable de produire plusieurs milliers de tonnes de tomates. Savoigne, petit village du Nord situé à trente kilomètres de Saint-Louis, n'est pas un lieu anodin dans l'histoire du Sénégal : l'ambition du président Léopold Sédar Senghor fut jadis d'en faire le village pilote du développement agricole au Sénégal. À partir de 1964, un chantier-école encadré par l'armée rassemble à Savoigne des centaines de jeunes hommes célibataires de moins de vingt ans, tous volontaires, appelés les « pionniers de l'Indépendance[1] ». Ils reçoivent une formation

1. Romain Tiquet, « Que reste-t-il de Savoigne, utopie villageoise du Sénégal de Senghor ? », *Le Monde*, 13 novembre 2015.

agricole, militaire et civique. Puis, à l'issue de leur service, un lopin de terre. Après plusieurs années de tutelle de l'armée, le village de Savoigne devient « autonome ». Grâce à la construction d'infrastructures d'irrigation – digues, ponts –, Savoigne se transforme effectivement en une zone agricole emblématique du Sénégal indépendant. La toute première politique agricole et commerciale du pays, de 1960 à 1986, est alors fortement tournée vers une production qui doit se substituer aux importations.

Dès 1972, la Socas, encadrée par des Français, propose une assistance technique gratuite et des contrats d'achat ferme de tomates aux producteurs sénégalais. Cet investissement se fait en collaboration avec l'État sénégalais, *via* un contrat-plan de développement garantissant à la Socas une protection sur le marché intérieur, en contrepartie d'engagements de production agricole et de satisfaction des besoins du marché intérieur. La Socas investit plus de douze milliards de francs CFA et développe la filière sénégalaise, essentiellement dans la région de Saint-Louis. Durant la période de sa première politique commerciale, de l'Indépendance à 1986, le Sénégal limite ou prohibe l'importation de certains biens, conférant ainsi une situation de quasi-monopole à plusieurs entreprises bénéficiaires. À cette époque, le concentré Dieg Bou Diar, pionnier de la tomate d'industrie en Afrique de l'Ouest, tient seul le marché sénégalais. Tout au long des premières décennies d'activité, la Socas prospère et l'entreprise est souvent citée par le pouvoir sénégalais comme modèle de réussite.

La Poste du Sénégal fait même imprimer en 1976 un timbre intitulé « Culture industrielle de la tomate », sur lequel figure un producteur guidant un tracteur avec, dans son coin inférieur droit, deux belles tomates mûres. La marque Dieg Bou Diar est alors capable de répondre à la demande sénégalaise en concentré. Certes, les patrons sont français, mais les Sénégalais atteignent l'objectif qu'ils s'étaient fixé au moment de l'Indépendance : ils produisent ce qu'ils mangent.

Du concentré de tomates est importé de l'étranger suite aux tempêtes de sable qui ont ravagé la récolte de 1986, mais les quantités sont modestes, très nettement inférieures à celle de la production nationale. Cette catastrophe climatique donne d'ailleurs l'idée à l'ingénieur agronome et producteur de tomates Ibrahima Fédior, ancien président du Comité interprofessionnel de la tomate, de planter 5 000 arbres sur 50 hectares de terrain, à l'origine des plantations et du reboisement en bordure du désert afin de contenir sa progression, devenue un modèle du genre[1].

La même année, en 1986, le Sénégal abandonne le modèle de développement qui avait été le sien depuis l'Indépendance[2]. Une « Nouvelle Politique

1. Malado Dembélé, « Environnement : les bons "plants" des Africains », juillet 2002.

2. Pr. Ahmadou Aly Mbaye, « Étude sur la prise en compte de la politique commerciale dans les stratégies de développement : cas du Sénégal », mai 2006.Pr. Moustapha Kasse, « Essoufflement de l'ajustement structurel : cas exemplaire du Sénégal ».Tarik Dahou, « Libéralisation et politique agricole au Sénégal ».

industrielle » ouvre l'économie sénégalaise à la concurrence internationale. Incités par le Fonds monétaire international (FMI) et la Banque mondiale à lancer des « programmes de stabilisation et d'ajustement structurel », les pays de l'Union économique et monétaire ouest-africaine (UEMOA) sont incités à la libéralisation de leur commerce. Un traitement de choc est appliqué quelques années plus tard à l'économie sénégalaise. Avec douze autres pays d'Afrique et les Comores, le Sénégal dévalue fortement sa monnaie le 11 janvier 1994. L'ajustement monétaire vise officiellement plusieurs objectifs : le rétablissement de la compétitivité externe des économies concernées, le redressement des balances commerciales, la réduction des déficits budgétaires, ainsi que la reprise de la « croissance ». L'État sénégalais privatise un grand nombre des entreprises qu'il possède et démantèle la plupart de ses monopoles publics.

La Chine n'est pas encore une grande puissance du concentré de tomates, mais, grâce au transfert de technologies que commencent à opérer les Italiens, elle s'éveille peu à peu… Au début des années 1990, le Sénégal bat ses records de production et de transformation de tomates, frôlant la barre des 60 000 tonnes de tomates transformées – un cas unique en Afrique subsaharienne. Mais, les années suivantes, la courbe de la production sénégalaise plonge, puis s'effondre sous la barre des 20 000 tonnes au tournant des années 2000 : la Chine est arrivée sur le marché mondial et ses prix sont extrêmement bas. L'économie du Sénégal a été libéralisée. Les frontières sont grandes ouvertes. La courbe des importations de concentré de tomates étranger fait un bond sans précédent : celles-ci sont multipliées par quinze, passant d'un volume de 400 à 6 000 tonnes de concentré importées. La production sénégalaise, quant à elle, est divisée par deux[1]. 6 000 tonnes de concentré de tomates, multiplié par sept pour obtenir un équivalent en « tomates fraîches » : le Sénégal importe au tournant des années 2000 l'équivalent de 42 000 tonnes de tomates fraîches en provenance de Chine. Soit autant de tomates que le pays pourrait produire et transformer, mais qu'il importe désormais. La Socas poursuit néanmoins sa production, mais les difficultés se multiplient. En 2004, un important concurrent de la Socas débute son activité : Agroline, dirigée par des Libanais. Puis un second, en 2011, Takamoul. Ces deux concurrents de la Socas promettent dès leur arrivée sur le marché de transformer des tomates sénégalaises. En réalité, ils installent leurs usines de reconditionnement en zone portuaire, très loin des champs, et débutent leur activité en inondant les marchés de triple concentré chinois réhydraté étiqueté « double », exactement comme le font les Italiens du Sud. Ce qui fragilise encore davantage la filière sénégalaise, pourtant réputée pour son organisation. La Socas se retrouve bientôt dans l'impossibilité de

1. FAO, Comité des produits, 18 au 21 mars 2003, « Politiques commerciales et évolutions des importations de produits agricoles dans le contexte de la sécurité alimentaire ».

rivaliser : en 2009, le coût d'importation d'un kilo de concentré chinois, taxes douanières incluses, est deux fois plus bas que le coût de production d'un kilo de concentré sénégalais. Un concentré sénégalais de très bonne qualité gustative, produit par une filière efficiente, bien structurée, expérimentée, mais dans l'incapacité de faire face au dumping. Le vent du capital souffle. Les frontières douanières sont ouvertes. Le concentré chinois impose sa loi.

La tragédie advient en 2013 : le Sénégal assiste à la fermeture de l'une des deux usines de transformation de tomates de la Socas, située dans la commune de Dagana. Quatre-vingt-quatre employés sont licenciés et des centaines de producteurs de tomates perdent un précieux débouché pour leurs cultures. L'outil industriel est abandonné. C'est aujourd'hui une usine fantôme.

Au moment de la fermeture, l'opposition politique s'en prend à Donald Baron, elle qualifie le dirigeant de la Socas de « patron voyou[1] ». Pour les opposants qui s'insurgent contre la fermeture de l'usine, le Français est le coupable tout trouvé : il incarne une « résurgence du colonialisme », comme certains l'écriront dans des commentaires d'articles publiés sur Internet. En réalité, la fermeture de l'usine Socas marque justement la fin de cette époque, celle d'un néo-colonialisme né d'étroites relations entre capitalistes français et l'État sénégalais pendant la seconde moitié

1. « Les libéraux de Dagana dénoncent la fermeture de la Socas », leral.net, 2 mars 2013.

du XXe siècle. La Socas est amputée de l'une de ses usines parce qu'elle est confrontée à la nouvelle donne capitaliste en Afrique : celle de la « Chinafrique ». La fin de la production locale de concentré de tomates n'est que l'une de ses manifestations.

De 2012 à 2015, la Socas est déficitaire[1]. Malgré la légère hausse du prix du concentré chinois, le concentré Dieg Bou Diar reste toujours 30 % plus cher que ses principaux concurrents travaillant avec du concentré asiatique. La filière sénégalaise, contrairement à celles d'autres pays d'Afrique de l'Ouest, possède pourtant toutes les infrastructures et le savoir-faire afin de ne pas gaspiller sa production de tomates et être totalement autosuffisante, voire exporter dans les pays voisins. La concurrence du concentré chinois grève la balance commerciale du Sénégal : le pays a importé pour 10 millions de dollars de concentré en 2013, et pour 8,29 millions de dollars en 2014, dont l'essentiel était chinois.

L'empire du Milieu fournit aujourd'hui 70 % des importations de concentré en Afrique. Un chiffre qui s'élève à 90 % pour la seule Afrique de l'Ouest.

À la télévision sénégalaise, la marque Dieg Bou Diar tente de résister en vantant l'origine locale du produit à l'aide de films publicitaires humoristiques : on y voit des vendeurs à la sauvette proposer à des femmes sénégalaises des produits manufacturés d'importation, tels que des parfums

1. Marion Douet, « Au Sénégal, la colère rouge tomate de la Socas », *Jeune Afrique*, 10 avril 2015.

ou des sacs à main en provenance de l'étranger. Puis, comme dans un dessin animé, ces mêmes vendeurs à la sauvette sont écrasés par de gigantesques boîtes Dieg Bou Diar tombant du ciel. Dans ces publicités, c'est le concentré de tomates « *Made in Senegal* » qui l'emporte, mais pour combien de temps encore ?

« La question de fond à se poser est : pourquoi il y a tant de migrants aujourd'hui ? Quand je suis allé à Lampedusa, il y a trois ans, ce phénomène commençait déjà. Le problème initial, ce sont les guerres au Moyen-Orient et en Afrique et le sous-développement du continent africain, qui provoque la faim. S'il y a des guerres, c'est parce qu'il y a des fabricants d'armes – ce qui peut se justifier pour la défense – et surtout des trafiquants d'armes. S'il y a autant de chômage, c'est à cause du manque d'investissements pouvant procurer du travail, comme l'Afrique en a tant besoin. Cela soulève plus largement la question d'un système économique mondial tombé dans l'idolâtrie de l'argent. Plus de 80 % des richesses de l'humanité sont aux mains d'environ 16 % de la population. Un marché complètement libre ne fonctionne pas. »

Pape François
« Il faut intégrer les migrants »,
La Croix, 16 mai 2016.

Chapitre 17

I

De nos jours, derrière de nombreux produits commercialisés par la grande distribution européenne, qu'il s'agisse d'une bouteille d'huile d'olive, d'une bouteille de soda contenant des oranges, d'un fruit, d'un légume, d'un produit biologique ou d'appellation d'origine contrôlée *Made in Italy*, se cache souvent l'exploitation de centaines de milliers de travailleurs, qu'ils soient italiens ou étrangers. Le principe de cette exploitation est celui du *caporalato* : le travail est encadré et organisé par des « caporaux », des gestionnaires en main-d'œuvre illégale, reliés à de vastes réseaux criminels, ceux de l'agro-mafia. Ce mécanisme d'exploitation combattu par les syndicats est bien connu en Italie. Le *caporalato* concerne une partie significative de l'agriculture italienne, y compris celle du Nord du pays. Il fait l'objet d'une abondante couverture médiatique dans la Péninsule. On en débat jusqu'à la Chambre des députés, où des lois anti-*caporalato* sont votées. Pour autant, ce système perdure.

L'Italie du Sud réalise 77 % des exportations mondiales de conserves de tomates. Bien malgré elles, ces conserves sont devenues l'emblème du *caporalato*, même si elles ne sont pas toutes concernées.

Quelle que soit leur nationalité, les Africains qui arrivent en Italie y travaillent. Ils n'y sont pas « accueillis » mais prolétarisés. Des milliers d'entre eux logent dans des bidonvilles que l'on appelle communément, en Italie, des ghettos. Ces lieux isolés du reste de la population sont cependant connectés à l'économie globale. De nombreux migrants préfèrent vivre dans ces ghettos plutôt que dans des centres d'hébergement financés par les pouvoirs publics ou le Secours catholique italien, car ce sont dans ces ghettos que les migrants ont accès au marché du travail tenu par les caporaux. Vivre dans un ghetto, c'est être condamné à la survie, à l'inconfort, à la promiscuité, à porter des bidons et à boire de l'eau douteuse, c'est subir la violence d'un monde contrôlé par des criminels, où le travailleur africain doit payer un loyer pour avoir le droit de vivre dans un bidonville, où les rixes sont régulières et les assassinats de migrants fréquents. Mais vivre au ghetto, c'est aussi l'assurance de vivre en compagnie d'autres êtres humains partageant une même condition, une même classe sociale ; c'est être parmi des compatriotes ou des personnes parlant la même langue que soi, dans une bulle communautaire décrite par ceux qui l'ont connue ou la connaissent encore comme ambivalente : épuisante, destructrice, mais rassurante, notamment parce que l'on peut y trouver du travail et donc continuer à rêver un futur tant que l'on en a encore la force. Dans le Sud de l'Europe, ces ghettos forment une véritable contre-société entièrement construite sur la misère et l'exploitation.

Comme l'affirmait déjà en 2012 un rapport édifiant d'Amnesty International[1], l'exploitation des travailleurs migrants est devenue l'un des piliers de l'agriculture italienne. En 2012, selon des statistiques officielles[2], sur un total de 813 000 travailleurs de l'agriculture italienne, 153 000 étaient officiellement des ressortissants d'un pays extérieur à l'Union européenne, et 148 000 étaient des étrangers issus d'un pays membre de l'UE. Pour autant, ces statistiques ne prennent pas en compte le nombre considérable de travailleurs étrangers qui ne sont pas déclarés et qui travaillent dans l'agriculture du pays. En 2015, l'Agence des droits fondamentaux de l'Union européenne a publié à son tour un rapport accablant sur le sujet, soulignant la « grave exploitation dont sont victimes les travailleurs[3] ».

Foggia, dans les Pouilles, est l'épicentre de la culture de la tomate destinée à la mise en

---

1. Amnesty International, « Exploited Labor : Migrant Workers in Italy's Agricultural Sector », 2012.
2. Statistiques de l'INEA et de l'Istat, citées dans « Agromafie e caporalato », Terzo rapporto, FLAI-CGIL, 2016.
3. Agence des droits fondamentaux de l'Union européenne, « Severe Labour Exploitation : Workers Moving within or into the European Union », 2015.

conserve. « Beaucoup de migrants viennent dans les Pouilles l'été pour travailler aux récoltes, puis ils repartent l'hiver, en général pour aller plus au nord, me raconte Raffaele Falcone, syndicaliste de la FLAI-CGIL de Foggia. Nous estimons que dans la province de Foggia, l'été, durant la récolte des tomates, 30 000 Africains travaillent aux récoltes. Mais si l'on regarde les statistiques, seulement 2 000 d'entre eux sont véritablement inscrits sur les registres officiels. »

II

Ghetto de Borgo Mezzanone, province de Foggia, Pouilles

30 juillet 2016. Il est quatre heures du matin. Alpha C. sort de la vieille caravane qu'il partage avec un autre Sénégalais. Il se dirige vers un bidon d'eau, remplit une bassine et fait sa toilette. « Cette eau, je suis allé la chercher hier, chuchote-t-il pour ne réveiller personne dans le voisinage. Dans les ghettos, l'eau, c'est vraiment un gros problème. Je n'avais jamais eu ce problème avant, même en Afrique. Cela va te sembler étrange, mais quand tu traverses à pied le Niger ou la Libye, tu n'as pas de problème d'eau : la Croix-Rouge a installé des motopompes, il y a des puits dans de très nombreux villages. Mais dans les ghettos des Pouilles, l'eau, c'est vraiment très compliqué pour nous. Ici, le premier point d'eau est à dix minutes à pied. »

Aucun référencement officiel des ghettos n'existe : ils n'ont pas d'existence, ni légale ni illégale. Leur taille varie beaucoup, de quelques dizaines d'habitants à plusieurs milliers. Les syndicalistes en dénombrent plus d'une dizaine, disséminés dans la seule région des Pouilles. Si l'un d'entre eux est passé au bulldozer ou se trouve détruit par un incendie, un autre se construit ailleurs.

De tous les ghettos, celui de Borgo Mezzanone est le moins boueux, le mieux goudronné, et pour cause : c'est un aéroport militaire abandonné. Durant la guerre froide, les escadrons basés ici ne se trouvaient qu'à quelques minutes de vol de la Yougoslavie et de l'Albanie, situées de l'autre côté de la mer Adriatique. Aujourd'hui, des barbelées gardent toujours l'ancien site militaire aux pistes encombrées de carcasses de voitures, de caravanes ou de conteneurs. Derrière les barbelés débute le ghetto. Les nombreux conteneurs ne déplacent plus de marchandise : ils servent désormais d'abris de fortune à des travailleurs africains échoués en Italie. Chaque caisson métallique abrite une dizaine de matelas sur lesquels des hommes reconstituent leurs forces avant de partir travailler aux champs.

Alpha C. allume un réchaud, lace ses chaussures, prépare sa bicyclette, prend son petit déjeuner, se lave les dents, noue avec beaucoup de soin un chapeau sur sa tête. Il s'est écoulé un quart d'heure à peine depuis son réveil. « Je vais rouler une heure avec mon vélo, avant d'arriver au champ de tomates à l'aube », murmure-t-il. Dans les conteneurs voisins, d'autres hommes dorment encore. « Je préfère prendre mon vélo pour aller aux champs, cela m'impose de me lever une heure plus tôt, mais ça me permet d'économiser cinq euros sur le transport. »

Économiser cinq euros ? Dans les ghettos italiens, les caporaux, ceux qui tiennent le marché du travail d'une main de fer en toute illégalité, passent chaque matin avec leurs camionnettes afin d'embaucher. Monter dans le fourgon d'un caporal, c'est débuter sa journée avec une dette de cinq euros : le « coût du transport » selon le caporal, qui sera retenu sur la paie journalière du travailleur, le soir, lors du décompte des caisses de tomates. Dans la province de Foggia, les récoltes de tomates sont faites par des travailleurs des pays de l'Est – Roumains, Bulgares – ainsi que par des Africains. « La quasi-totalité n'est pas déclarée, elle travaille au noir, ou alors il s'agit de travail gris : les travailleurs sont déclarés quelques heures à peine et font en réalité la saison entière », résume Raffaele Falcone de la FLAI-CGIL. Les ouvriers agricoles étrangers sont payés à la caisse de 300 kg de tomates récoltées, en moyenne 3,50 à 4 euros l'unité. Soit 1,16 à 1,33 centime d'euro le kilo de tomates ramassé. Comme en Chine, dans le Xinjiang, où le kilo récolté est rémunéré un centime d'euro.

La silhouette d'Alpha C. disparaît : le jeune homme ne doit rater sous aucun prétexte le départ du petit peloton qui se forme chaque matin à la sortie du ghetto, celui des travailleurs qui préfèrent pédaler deux heures par jour – une à l'aller, une au retour –, plutôt que d'être rançonnés par leur caporal, qu'ils retrouvent directement sur place, dans le champ.

Circulation routière des camionnettes, échanges de sms, vastes ghettos accessibles à n'importe quelle voiture… Découvrir le *caporalato* dans les Pouilles, c'est comprendre qu'il se fait au grand jour, sans se cacher des carabiniers. Pour peu que l'on soit discret et prudent, il est à la portée de n'importe quel syndicaliste ou journaliste d'assister aux allées et venues des camionnettes des caporaux dans les ghettos. « Les contrôles sont insuffisants et la corruption les gangrène », m'ont répété tous les syndicalistes de la FLAI-CGIL des Pouilles que j'ai interrogés – une dizaine – à propos du *caporalato*. « Lors d'un contrôle dans un champ, m'explique Raffaele Falcone, il arrive très fréquemment que le producteur de tomates ait été préalablement prévenu de ce contrôle, qui devient alors une simple mascarade. D'autres fois, des sommes en argent sont versées de la main à la main. Ici l'impunité semble la règle. »

En Italie, 85 % de la récolte des tomates d'industrie a été mécanisée et 15 % demeure manuelle. La totalité des récoltes dans le Nord du pays a été mécanisée. En Californie, sur des surfaces gigantesques, le recours aux machines abaisse le coût des récoltes en réduisant la part des salaires. En revanche, sur les parcelles du Sud de l'Italie, plus petites et plus nombreuses car possédées par de très nombreux petits propriétaires rassemblés en « organisations de producteurs » afin de traiter avec les conserveries, les gains de productivité des machines sont réduits. Les parcelles ne se prêtent pas au modèle californien de l'« agriculture de firme », où des capitaux importants sont mobilisés pour contrôler la production de vastes terres.

Une étude financée par la Nando Peretti Foundation[1] a calculé que le coût de fonctionnement d'une machine de récolte sur une parcelle moyenne du Sud de l'Italie est pratiquement égal à celui d'une récolte manuelle organisée par des caporaux, c'est-à-dire dans des conditions d'exploitation illégale de la main-d'œuvre. En d'autres termes, les machines concurrencent les esclaves, et réciproquement. Pour peu que le caporal soit particulièrement zélé dans son recours à la violence, à l'intimidation, et parvienne à voler des journées de travail aux migrants en ne les payant pas – ce qui est extrêmement fréquent et s'avère la principale source d'agressions physiques dans les ghettos –, les esclaves du XXIe siècle deviennent plus compétitifs que les machines à la pointe de la technologie.

Dans les ghettos, l'été, il est très fréquent de rencontrer des migrants, qu'ils soient chrétiens ou musulmans, qui affirment prier pour qu'il pleuve. En effet, lorsqu'il pleut, le sol devient boueux et les conducteurs des imposantes machines de récolte ne peuvent prendre le risque d'y embourber les

1. Fabio Ciconte et Stefano Liberti, « Spolpati. La crisi dell'industria del pomodoro tra sfruttamento e insostenibilità », novembre 2016.

engins. Lorsque la pluie immobilise les machines, les caporaux ont subitement besoin de beaucoup de main-d'œuvre – c'est pourquoi le prix payé à la caisse récoltée augmente. Il peut alors dépasser les quatre euros. Pour les migrants, la pluie a donc un véritable pouvoir, celui d'augmenter les salaires.

Qu'il pleuve ou non, la récolte manuelle reste plus qualitative que la récolte mécanique : les travailleurs manuels, contrairement aux machines, ne récoltent que des tomates rouges et mûres. De plus, ils n'abîment pas les tomates lors de la cueillette, moins que les machines. Les meilleures qualités de tomates pelées en conserve, les marques les plus prestigieuses, ont donc recours au travail manuel.

III

« Gran Ghetto » de Rignano, Pouilles

Comme son nom l'indique, le « Gran Ghetto » de Rignano est le plus grand ghetto des Pouilles. L'été, ce bidonville où une forêt de planches et de bouts de bois soutient un océan de tôles et de bâches en plastique peut abriter jusqu'à 5 000 migrants. Tous sont africains – les Sénégalais, Burkinabés, Maliens, Togolais et Nigérians sont ici nombreux. Comme dans le ghetto de Borgo Mezzanone, la langue – française ou anglaise – marque la division entre les quartiers.

Je me suis rendu dans le « Gran Ghetto » en compagnie de Magdalena Jarczak, syndicaliste de la FLAI-CGIL de Foggia. Née en Pologne en 1980, Magdalena Jarczak est venue pour la première fois en Italie au début des années 2000 afin d'y travailler comme ouvrière agricole[1]...

« C'était il y a quinze ans. L'un de mes compatriotes, un Polonais, faisait venir des femmes et des hommes pour travailler dans les champs, ici, à Foggia, Ortanova, Carapelle, Stornara, Stornarella... C'était un caporal, mais je ne le savais pas. Il faisait venir beaucoup de gens pour travailler ici. J'ai vécu dans une vieille maison abandonnée sans eau potable, une *casolare* » – il s'agit de petites fermes typiques des Pouilles, construites sous la réforme agraire fasciste, aujourd'hui abandonnées par leurs propriétaires. « C'était dans la campagne d'Ortanova. J'ai travaillé trois mois dans les champs, j'ai cueilli des tomates, du raisin, des artichauts... sans être payée. Le caporal prenait tout l'argent. Il avait pris mes papiers, ainsi que ceux des autres filles qui étaient avec moi. Il ne nous a jamais payées, il nous disait qu'il nous paierait à la fin de nos trois mois de travail. En réalité, il n'a jamais donné l'argent. Nous, les femmes, ensuite, nous nous sommes enfuies. Nous avons découvert que ce caporal, en réalité, vendait les filles dans la rue. Les hommes, il les faisait travailler ; les filles, il les vendait. Ce sont dans ces mêmes conditions que vivent aujourd'hui les Roumains, les Bulgares ou les

1. Entretien avec Magdalena Jarczak, le 1er août 2016.

Africains des ghettos. Les personnes, les nationalités ont changé. Mais la situation est restée la même. »

Au début des années 2000, la violence des caporaux polonais fut à l'origine d'un incident diplomatique entre l'Italie et la Pologne, suite à la disparition de plusieurs travailleurs polonais et la découverte de cadavres – pour certains, ceux des personnes portées disparues. Magdalena Jarczak ayant été aidée par le syndicat FLAI-CGIL, sa reconnaissance s'est muée en un engagement devenu son métier. Cette Polonaise à l'italien impeccable est désormais l'un des piliers de la FLAI-CGIL de Foggia.

Pour vivre au « Gran Ghetto » de Rignano, un migrant doit d'abord débourser un droit d'entrée dans le bidonville de vingt-cinq euros. Après quoi, il paie vingt à trente euros mensuel pour pouvoir y loger. Multiplié par 4 000 ou 5 000 personnes selon la période de l'année, les criminels qui tiennent le ghetto empochent ainsi des dizaines de milliers d'euros mensuellement. Dans le ghetto, tout est privatisé : faire recharger son téléphone coûte, par exemple, de 10 à 20 centimes d'euro. Des commerces, détenus par les barons du bidonville, proposent des biens et des services. Comme dans la plupart des autres ghettos des Pouilles, la division du travail est impitoyable : les hommes travaillent dans les champs, les femmes se prostituent. Les femmes indexent leurs rémunérations sur les salaires des hommes, en fonction des périodes de récolte, selon la loi de l'offre et de la demande.

Les prostituées dépendent elles aussi de réseaux criminels. Comme les travailleurs obligés de payer cinq euros par jour pour le transport en camionnette, les prostituées doivent obligatoirement payer dix euros par jour la location de la pièce où elles reçoivent, y compris les jours où aucun client ne s'est présenté. « À la différence des femmes des ghettos des pays de l'Europe de l'Est qui travaillent dans les champs des Pouilles, les Africaines n'y travaillent généralement pas, explique le syndicaliste Raffaele Falcone. Pour survivre économiquement à l'intérieur des ghettos, elles n'ont que deux options : être entretenues par un homme, ce qui est rare, ou se prostituer, ce qui est plus fréquent. Pour les femmes des ghettos des pays de l'Est, la situation est différente, mais elle n'est pas meilleure : le travail des champs, et le fait d'avoir un compagnon, ne les prémunit pas d'être forcées à se prostituer. »

Chaque hiver, dans les ghettos des Pouilles, la multiplication des chauffages d'appoint bricolés génère des incendies. Parce qu'ils ne sont constitués que de matériaux facilement inflammables, les ghettos brûlent alors en quelques dizaines de minutes, comme ce fut le cas au « Gran Ghetto » de Rignano en 2016. Ces incendies font des blessés, de grands brûlés ainsi que des morts, comme dans le ghetto bulgare des environs de Foggia, où, en décembre 2016[1], un jeune homme de vingt ans a péri, piégé par les

1. « Fiamme nel "ghetto dei bulgari". Muore un ragazzo di 20 anni », *Il Corriere della Serra*, 9 décembre 2016.

flammes. Dans la nuit du jeudi 2 au vendredi 3 mars 2017, le « Gran Ghetto » a intégralement brûlé une seconde fois. Deux migrants africains sont morts dans l'incendie[1].

IV

« Ghetto Ghana », Cerignola, Pouilles

Mars 2016. Enzo Limosano, chirurgien vasculaire à la retraite, coupe le moteur du camping-car à l'entrée du ghetto. Par le pare-brise du véhicule, j'aperçois devant nous des *casolari* en ruine qui forment un petit hameau. Nos portières claquent. Un chien errant se met à aboyer. Je suis Enzo Limosano qui s'aventure sur un petit chemin boueux semé de détritus.

Dans le « ghetto Ghana », comme dans un village africain, l'usage veut que les arrivants passent saluer dès leur arrivée le *capo tribù*, le chef de tribu : Alexander. « C'est ici qu'il vit », murmure Enzo Limosano en frappant à une planche de bois rafistolée qui fait office de porte. Le toit de la maisonnette est troué, bouché par des cartons recouverts de bâches, elles-mêmes lestées de pierres. Il fait froid. Le ghetto paraît vide. « En cette saison, le travail dans les champs est rare. Beaucoup quittent le ghetto pour travailler ailleurs, puis ils

1. « Migranti, rogo nel "Gran Ghetto" di Rignano : due morti », *La Republica* (Bari), 3 mars 2017.

reviennent avec les beaux jours, pour les grandes récoltes », m'explique Enzo Limosano en entrant.

Je découvre dans la pénombre le visage de trois hommes à peine éclairés. « *Ciao ragazzi*, où est Alexander ? » s'enquiert auprès d'eux le médecin. Leurs index se tendent – le *capo tribù* dort sur une vieille plaque de mousse, enroulé dans une couverture. Derrière lui, dans cette case où tout le mobilier de fortune est de récupération, les murs sont tapissés de grandes publicités, chipées dans des abribus, pour des parfums de luxe, de la lingerie fine ou de la joaillerie : des femmes posent dénudées.

Alexander, barbe poivre et sel, se réveille lentement. L'homme est âgé, ses gestes sont empesés par le sommeil. Il nous sourit et nous souhaite la bienvenue au ghetto. Ce chef de tribu est un travailleur comme les autres, il n'a pas de liens avec les caporaux. L'âge avancé d'Alexander a fait de lui l'aîné de ce ghetto majoritairement peuplé de Ghanéens.

Les trois silhouettes restées dans l'obscurité nous observent, impassibles. À leurs côtés, j'aperçois le poster d'une moto de course couchée dans le virage d'un circuit. « Les gars, si vous avez besoin d'un docteur, c'est le moment, retrouvez-nous au camping-car pour une consultation », leur lance le chirurgien à la retraite. Sitôt leurs mains serrées, nous partons vers d'autres *casolari* en ruine, pour prévenir de la présence du camping-car.

À l'exception des syndicalistes de la FLAI-CGIL et de Sœur Paola, une religieuse des environs, Enzo Limosano est l'un des rares Italiens à se rendre au ghetto de Cerignola. « Avant, en 2015, l'une des principales ONG italiennes assurait les soins médicaux de ces pauvres travailleurs, me dit le médecin. Ils venaient avec une antenne médicale et ils assuraient des soins de qualité. Mais ils ne le faisaient que parce que la Région des Pouilles versait pour cela une subvention. Depuis qu'elle ne verse plus cette subvention, l'opération d'Emergency s'est brutalement interrompue, et ils ne viennent plus dans le ghetto. Même pas une fois tous les deux mois, sur leurs deniers ! Pourtant, ici, je peux t'assurer que rien n'a changé, rien ne s'est amélioré, bien au contraire. L'ONG continue de diffuser des publicités avec des pauvres enfants africains dans les gares italiennes, ou à la télévision, pour réclamer des dons avec des images de zones de conflit en Afrique. Mais ici, en Italie, au sein de l'Union européenne, ils ont abandonné ces pauvres gens. Ce ne sont pourtant pas les malades qui manquent ! C'est une honte », s'indigne Enzo Limosano.

Ce médecin n'est pas un militant politique, ni même le bénévole d'une association catholique. C'est un homme tombé par hasard sur la réalité d'un monde dont il ignorait l'existence.

« La première fois que je suis venu ici, je dois te dire la vérité, c'est la première fois de ma vie que j'ai eu honte d'être Italien. Alors, depuis, je fais ce que je peux, je récupère des médicaments chez des pharmaciens qui veulent bien m'en donner, je fais le tour des amphithéâtres de médecine pour demander des coups de main à des étudiants ou à des internes, et ceux qui peuvent viennent avec moi le dimanche, une à deux fois par mois, dans les ghettos des Pouilles. »

Un service régional de distribution de citernes d'eau potable passe de temps à autre au ghetto. Parfois les citernes arrivent à un rythme régulier, de manière hebdomadaire. D'autres fois elles restent vides des semaines entières. Durant ces intervalles, le ghetto est alors sans eau potable.

Le camping-car de soins n'a pas l'allure de l'une de ces antennes médicales de choc que possède l'ONG qui visitait le hameau. C'est une vieille guimbarde épuisée, aux fauteuils élimés, que se partagent différentes associations caritatives mobiles des Pouilles. C'est néanmoins le seul véhicule médical à venir jusqu'ici, une à deux fois par mois, pour assurer des consultations. Tandis que débutent celles-ci, j'arpente le ghetto et fais la connaissance d'un Togolais, le seul francophone du coin. « Je suis coincé ici », me confie-t-il sans voiler son désespoir. Il n'est pas le premier Africain que j'entends, dans les ghettos italiens, me dire qu'il regrette d'être venu en Europe. Beaucoup d'hommes arrivent ici armés d'espoir, prêts à travailler dur. Ils débutent une procédure d'asile, en sont déboutés, deviennent clandestins. Ne pouvant pas circuler, ils se réfugient au ghetto, où peu à peu ils se prolétarisent, contraints d'y dépenser ce qu'ils gagnent au travail afin d'assurer leur subsistance. Lorsqu'ils parviennent avec peine à économiser un pécule sur leur salaire de misère, tôt ou tard, un appel téléphonique de quelqu'un resté au pays leur demande d'envoyer de l'argent. Pour ne pas décevoir, pour être solidaires et pour rester fidèles à l'image qu'ils ont construite d'eux-mêmes en arrivant en Europe – celle de quelqu'un qui parviendra à vaincre la misère –, ils s'exécutent, respectent les traditions et envoient l'argent au pays. Au fil des mois, les sables mouvants les avalent.

Dans le ghetto, je rencontre un autre homme, ghanéen cette fois, qui doit se rendre au camping-car. Il m'explique en chemin les origines de sa blessure au visage : il a été entaillé au couteau lors d'une rixe, à cause d'un « caporal » qui refusait de lui payer plusieurs journées de travail. Au camping-car, on va s'occuper de lui et lui retirer ses points. « Allez, rentre, c'est juste des points. » Je l'accompagne à l'intérieur. L'odeur du produit désinfectant embaume la cabine. Comme il ne sait pas lire, avant qu'il ne reparte avec un petit sachet de pharmacie, Enzo Limosano lui écrit sur une boîte de médicaments « 2 ». Puis il trace deux bâtons, avant de lui montrer combien cela fait de doigts.

V

Juillet 2016, en pleine récolte de la tomate. Je suis de retour au « ghetto Ghana ». Les migrants anglophones sont beaucoup plus nombreux qu'il y a plusieurs mois.

Une épave de voiture que j'ai aperçue en mars, mais à laquelle je n'avais pas vraiment prêté attention, est toujours échouée sur un talus, au bord de la route. Cette fois, la portière est ouverte. Un homme noir, portant un tricot jaune, se trouve assis à l'intérieur du véhicule. Hagard, il demeure immobile. Les minutes passent. Sa position reste la même.

Je décide de m'approcher. Lorsque je me trouve enfin à quelques mètres de lui, il m'est impossible de croiser son regard vitreux, devenu inexpressif. Je comprends que l'homme vit dans la carcasse de cette voiture en apercevant le désordre qui y règne. Il remarque à peine ma présence. Le quinquagénaire, un clochard de ce ghetto, commence à parler, en balbutiant un anglais difficilement compréhensible. Nous essayons de communiquer. Il me montre une casserole défoncée et noircie, recouverte de crasse. L'odeur de l'habitacle est pestilentielle. Je lui demande s'il dort dans cette voiture. En guise de réponse, il me montre la manière avec laquelle il s'allonge dans son épave pour y dormir, parmi des chiffons. Après quoi, il me montre l'énorme plaie purulente qui a envahi son pied.

À cause de sa blessure surinfectée, me fait-il comprendre, il ne peut plus aller faire les récoltes. Ses yeux ne regardent plus le monde qui l'environne. Il semble que la totalité de l'univers soit devenue pour lui un vide immense, des ténèbres sans fin. Il ne peut plus vendre sa force de travail. Il ne peut plus accéder à l'argent. Né au Ghana, venu jusque dans les Pouilles pour y travailler plusieurs années dans l'agriculture, cet homme a survécu tant que possible dans ce ghetto, en puisant jusqu'à ses dernières forces. Elles sont taries.

Le voici échoué dans la chaleur de l'été. L'homme en est réduit à devoir se nourrir des restes que d'autres prolétaires africains daignent lui apporter. Même les chiens errants du ghetto qui gambadent alentour et dorment, insouciants, à l'ombre des arbres ont une vie plus enviable que la sienne. Lui s'éteint lentement, avec pour seul horizon une solitude infinie. Immobile, assis sur le siège de l'épave, la portière grande ouverte sur la douceur de la nuit qui approche.

Chapitre 18

I

Les luttes pour le contrôle du marché du travail dans l'agriculture ont une histoire, et ces combats politiques sont des repères important de l'histoire de l'Italie. Si la vallée du Pô, dans le Nord, fut une terre propice à l'émergence de l'industrie de la tomate, c'est également la région qui permit à Benito Mussolini, après son échec cuisant aux élections de 1919, d'exister politiquement grâce aux squadristes. Ces escouades d'action constituées d'anciens combattants aidèrent Mussolini à se faire un nom en un temps où celui du poète-soldat Gabriele D'Annunzio était bien plus populaire que le sien.

En 1919, dans le contexte de l'après-guerre et le sillage de la révolution d'Octobre, les socialistes italiens obtiennent une grande victoire électorale. C'est le début du *Biennio Rosso*, les « deux années rouges », période marquée par de fortes mobilisations paysannes et ouvrières, par des grèves et des occupations de terres et d'usines. Au lendemain de leur victoire électorale, les socialistes, première formation politique d'Italie, organisent les travailleurs agricoles ne possédant pas de terre, ceux que l'on nomme toujours les *bracianti*. Les socialistes établissent un contrôle du marché du travail dans l'agriculture[1] en donnant au mot « socialiste » tout son sens : cette gauche antilibérale *socialise* le marché du travail en multipliant les créations de bourses du travail, ces bureaux où la main-d'œuvre s'organise collectivement. Les *bracianti* et leurs syndicats agissent afin que le travail s'émancipe et que son marché ne dépende plus du bon vouloir des détenteurs de la terre et des capitaux. Avec la création des bourses du travail, les rémunérations des ouvriers agricoles augmentent. Les conditions de travail s'améliorent. En 1920, dans la vallée du Pô, un propriétaire terrien est obligé de se rendre dans une bourse du travail s'il veut recruter de la main-d'œuvre. Les propriétaires terriens, habitués à leurs statuts de notables incontestés sur leurs terres, se trouvent contraints à négocier face à des bourses du travail devenues puissantes. Les syndicats socialistes diffusent l'idée auprès des *bracianti* que le travail a plus de valeur que la propriété privée et les statuts sociaux.

Les propriétaires terriens sont cependant déterminés à se débarrasser des socialistes afin de pouvoir revenir à l'ancien système capitaliste, et embaucher des *bracianti* selon leur bon vouloir.

---

1. Robert Paxton, *Le Fascisme en action*, Paris, Le Seuil, 2004.

Cela leur est extrêmement difficile : lorsque les propriétaires terriens cherchent à échapper aux bourses du travail, des grèves éclatent. La situation est explosive. Les propriétaires terriens demandent l'aide du gouvernement. Mais le Premier ministre de l'époque, Giovanni Giolitti, un libéral pratiquant la corruption et le clientélisme, dont l'âge frise les quatre-vingts ans et pour la cinquième fois président du Conseil, est incapable en 1920 de « restaurer l'ordre » dans le pays.

Les Chemises noires s'en chargent. Six socialistes sont assassinés dans l'hôtel de ville de Bologne le 21 novembre 1920, puis la terreur squadriste déferle. Les troupes paramilitaires, composées d'anciens combattants qui haïssent les socialistes pour leurs positions pacifistes et internationalistes de 1915, détruisent tout sur leur passage. Ils incendient sièges de journaux ou imprimeries, « maisons du peuple », bourses du travail, clubs ou associations partisanes… L'Italie est en proie à une grave instabilité. Le Parti communiste italien naît le 21 janvier 1921 d'une scission des socialistes. Les gouvernements libéraux se succèdent. L'État se délite. Le chaos l'emporte.

Benito Mussolini rassure les industriels et les propriétaires terriens : il se pose en défenseur du capitalisme. Le 24 novembre 1922, il obtient les pleins pouvoirs. Le 19 décembre, la Confédération générale de l'industrie italienne (Confindustria) signe un accord avec la Confédération des corporations fascistes. En 1926, les grèves sont déclarées hors la loi.

II

Brindisi, Pouilles

« Le *caporalato*, ce n'est rien de plus qu'une appropriation illégale du marché du travail, me résume, lors de l'entretien qu'il m'accorde, Angelo Leo, secrétaire du syndicat FLAI-CGIL de la province de Brindisi, dans les Pouilles[1]. C'est dans les années 1960 que les *caporali* ont fait leur apparition, due à l'avènement de la motorisation de masse. Un caporal, c'est d'abord le propriétaire d'un moyen de transport, généralement une fourgonnette. C'est avec ce véhicule qu'il conduit les travailleurs aux champs. Les premiers caporaux étaient dans les années 1960 d'anciens ouvriers agricoles, pour la plupart des Italiens qui avaient émigré en Allemagne et qui rentraient chez eux, l'été, en camionnette. Peu à peu, plutôt que de prendre leurs vacances, ils ont cherché à tirer profit de leur véhicule. L'agriculture italienne était alors en pleine mutation. Elle s'industrialisait pour satisfaire l'émergence de la consommation de masse. Les besoins en main-d'œuvre évoluaient.

« Grâce à leurs fourgons, ceux qui étaient en mesure d'approvisionner les producteurs en main-d'œuvre pouvaient se faire beaucoup d'argent. En Italie, le *caporalato* ne concerne pas exclusivement

1. Entretien avec Angelo Leo, 31 juillet 2016.

les Africains, les Roumains ou les Bulgares. Ce phénomène est né de l'exploitation des Italiens, qui perdure. Ici, par exemple, à Brindisi, beaucoup de femmes italiennes dépendent des caporaux pour trouver du travail. Elles peuvent parcourir jusqu'à cent cinquante kilomètres dans le fourgon d'un caporal avant d'atteindre le champ où elles travailleront. Pour ces femmes, qui n'ont pas nécessairement de moyen de locomotion privé, le fourgon du caporal permet de se déplacer, d'atteindre leur lieu de travail. Vers trois ou quatre heures du matin, sur des places ou dans des rues bien connues, les caporaux embauchent.

« Le caporal devient donc celui qui décide de qui peut monter dans son fourgon, et de qui ne monte pas. Il fixe ses conditions. Si une femme se plaint, réclame une heure de travail réalisée mais non payée, elle risque d'être écartée sans préavis dès le lendemain.

« Avec le taux de chômage incroyable que nous avons en Italie, les femmes italiennes du Sud sont parfois le pilier économique d'une famille. Cette situation renforce leur vulnérabilité face aux caporaux, qui sont les seuls à contrôler le marché du travail.

« En tant que syndicaliste, en presque quarante ans de militantisme dans les Pouilles, j'ai vu le *caporalato* se développer et prendre des proportions dramatiques.

« Des travailleurs meurent dans les champs tous les étés. De temps en temps, quand un décès est connu, le nom ou le prénom du travailleur est publié dans la presse, et nous en avons connaissance. Mais dans la majorité des cas, et surtout si c'est un migrant présent illégalement en Italie, l'affaire est enterrée, les témoins du décès achetés, et le cadavre du travailleur déplacé afin que les caporaux puissent faire disparaître le corps.

« Pendant quelques années, à la fin des années 1980, la région des Pouilles et celle de la Basilicata ont signé une convention. Convention grâce à laquelle plusieurs centaines d'ouvrières agricoles ont pu bénéficier d'un projet expérimental autogestionnaire, qui prévoyait un transport public des ouvrières, une organisation publique de l'emploi, des droits syndicaux, le respect de leur temps de travail. Les caporaux s'y sont opposés avec férocité. Ils ont commencé par incendier les cars des services publics, puis ils ont menacé violemment les dirigeants des entreprises qui avaient accepté d'être partenaires de ce projet. Les caporaux redoutaient que ce projet fonctionne et qu'il devienne un exemple.

« Finalement, face à la multiplication de leurs agressions, face à la terreur qu'ils ont semée, l'expérience fut un échec. Le projet a pris fin suite à une attaque violente des caporaux lors d'une réunion de la Ligue des ouvriers agricoles de Ceglie Messapica. Ce jour-là, lors d'une assemblée de femmes qui protestaient contre les violences sexuelles des caporaux, des nervis de la criminalité organisée ont encerclé la Chambre du travail. Deux caporaux ont fait irruption dans l'assemblée. Je me suis levé, j'ai été agressé physiquement et menacé de mort. Les femmes se sont enfuies, elles étaient terrorisées, elles redoutaient que le pire arrive.

« Les carabiniers sont arrivés, ils ont arrêté les caporaux, qui ont été jugés et condamnés. Mais beaucoup de femmes, après cette attaque violente, ont été brisées psychologiquement et n'ont plus eu le courage de poursuivre le projet. Et peu après, le marché du travail était de nouveau retombé entièrement entre les mains des caporaux. »

III

Sénat, Rome

En 2011, une loi contre le *caporalato* a bien été votée en Italie, mais elle n'a pas éradiqué le phénomène, en partie parce que cette loi n'a pas prévu d'entériner le principe de la co-responsabilité de la grande distribution dans ce système d'exploitation. Ce sont pourtant les grandes enseignes qui écoulent quotidiennement les productions souillées par le *caporalato*. La grande distribution diffuse à vaste échelle, dans toute l'Europe et parfois jusqu'en Amérique du Nord, des boîtes de tomates pelées récoltées dans les Pouilles. Aujourd'hui, les firmes multinationales, dont les groupes détiennent les conserveries, ainsi que la grande distribution, bénéficient bien davantage du *caporalato* que les producteurs italiens eux-mêmes, y compris ceux qui ont recours aux caporaux pour assurer la récolte de leurs champs. Les producteurs peinent à vivre correctement, car le kilo de tomate d'industrie ne leur est payé que 7 à 10 centimes d'euro. Quant au caporal lui-même, souvent un ancien migrant qui parle correctement l'italien et qui s'est élevé socialement en devenant marchand d'esclaves, sa rémunération varie beaucoup en fonction des cas. Il existe des caporaux pour qui cette activité est très lucrative, jusqu'à leur rapporter plus de 10 000 euros par mois. Il s'agit là des plus impitoyables. Pour d'autres, les rémunérations peuvent être beaucoup plus modestes. De plus, les caporaux ne sont que le premier échelon d'une haute pyramide, celle du crime organisé.

Quand des réseaux tombent, seuls les producteurs et les caporaux, ceux qui se rendent physiquement dans les champs, prennent le chemin de la prison. Les hautes sphères de la filière ou de la grande distribution ne sont jamais inquiétées.

« Le principe de co-responsabilité de toute la filière est la seule solution au problème », explique le sénateur des Pouilles Dario Stefàno (Sinistra Ecologia Libertà), rédacteur d'un nouveau projet de loi contre le *caporalato*. « Il faut changer la législation en Italie, ainsi que dans toute l'Europe. La grande distribution doit être contrainte à une co-responsabilité de tout ce qui se déroule au sein de la filière tomate, et plus largement au sein de toute l'agriculture en général. Les grandes enseignes ne doivent plus pouvoir fermer les yeux et prétendre ne pas connaître les pratiques de leurs sous-traitants. Tant que des grandes enseignes pourront se défausser, se décharger de leur responsabilité en invoquant celle de leurs sous-traitants, le *caporalato* demeurera une réalité en Europe. Une législation plus contraignante obligerait la grande distribution à contrôler ce qu'elle vend. Elle ne pourrait plus, dès lors, fermer les yeux sur le *caporalato*. »

La loi votée en 2011 n'a pas fait disparaître le *caporalato*, qui faisait encore la une des journaux italiens en 2017. Cette loi a seulement contraint les caporaux à s'adapter à une nouvelle donne : désormais, certains d'entre eux ouvrent des agences de travail intérimaire afin de dissimuler leurs activités criminelles derrière une vitrine légale. En Italie du Sud, le recours à la main-d'œuvre africaine non déclarée fait ainsi parfois l'objet d'une autre fraude : celles des « journées agricoles ». Ces journées de cotisations sociales se revendent sur le marché noir. De cette manière, il est possible à n'importe quel Italien d'acheter des journées de cotisations auprès d'intermédiaires véreux. Ces « journées », qui ont été travaillées par des ouvriers agricoles non déclarés, le plus souvent des Africains, permettent ensuite à qui n'a pas réellement travaillé, mais les achète, d'accéder aux allocations chômage, ou de « cotiser » pour sa retraite. Ces droits devraient normalement revenir aux travailleurs, mais ces derniers, de cette manière, s'en trouvent spoliés.

En outre, ce business des « journées agricoles » permet au producteur, ou au caporal à la tête d'une « agence d'intérim », de se couvrir en cas d'éventuels contrôles a posteriori – les fraudeurs peuvent ainsi affirmer avoir réellement embauché et déclaré des travailleurs en toute légalité. Le marché du travail étant privé, détenu par les agences d'intérim ou les caporaux, cette fraude lucrative accroît davantage encore les difficultés des Africains à être déclarés, à obtenir des fiches de paie, et donc à obtenir des papiers en règle.

« Il faut également organiser rigoureusement la traçabilité complète du produit, du champ au point de vente final, afin que le principe de co-responsabilité ait un sens et soit applicable », ajoute le sénateur Dario Stefàno, qui insiste sur le fait que le *caporalato* n'est pas un « problème italien » : les Italiens n'en sont pas les seuls responsables. Comme pour tout phénomène complexe au sein du capitalisme mondialisé, le *caporalato* prend racine dans un cadre économique et institutionnel global.

Ce phénomène d'exploitation des travailleurs, cette résurgence de l'esclavagisme, n'est que l'aboutissement d'idées libérales entrées en action : celles selon lesquelles l'État doit s'effacer pour « laisser faire, laisser passer ».

L'histoire rappelle combien l'esclavage est compatible avec le libéralisme : la traite humaine ne s'est jamais autant développée qu'entre les XVIe et XVIIIe siècles, période durant laquelle les théoriciens de la « liberté » ont réinventé grâce à l'argent de nouvelles aristocraties[1].

Aujourd'hui, dans l'agriculture du Sud de l'Italie, la « liberté » ne profite qu'à la volonté particulière

1. Domenico Losurdo, *Contre-histoire du libéralisme*, Paris, La Découverte, 2013.

d'intérêts privés. En d'autres termes, à l'arbitraire. L'existence d'innombrables ghettos au sein de l'Union européenne, et l'aisance avec laquelle les caporaux circulent sur les routes pour exploiter des travailleurs, semer la terreur et parfois tuer les *bracianti* africains qui réclament leur dû, n'en sont que les illustrations les plus frappantes.

Chapitre 19

I

Accra, Ghana

Le quartier général des Liu est une grande villa, bordée de hautes clôtures électrifiées, derrière lesquelles un berger allemand monte la garde. La demeure se trouve au cœur d'une zone résidentielle de la haute bourgeoisie d'Accra, à plus de quatre heures de route de Kumasi. Elle compte de nombreuses chambres, des bureaux, ainsi qu'un salon où a été accrochée une grande carte du Ghana. C'est dans cette bâtisse que vit et travaille le clan. C'est ici qu'il gère ses affaires africaines et mène ses offensives commerciales. À plus de douze mille kilomètres de Pékin, je retrouve et salue le général Liu. Bien qu'il ne dirige plus Chalkis depuis 2011, Liu Yi est resté un homme fort de l'industrie rouge. Certains l'ont cru mort et enterré, mais c'était sous-estimer l'énergie, la ruse et la férocité en affaires d'un homme aguerri aux rouages du régime chinois autant qu'à la guerre économique.

Alors même qu'il n'apparaissait plus dans les annuaires de la filière mondiale, j'ai découvert durant cette enquête qu'il gérait, dans la plus grande discrétion, une société devenue incontournable dans le business du concentré en Afrique, la Provence Tomato Products. Une entreprise faisant tourner une usine de 300 000 m^2 installée en 2014 à Tianjin. Pour la diriger, un autre Liu : son fils, Haoan, « Quinton » de son prénom occidental. Le général Liu ne figurait dans aucun organigramme de la société, sur aucune photographie, mais, dans l'ombre, le chef, c'était lui.

Comme bien d'autres enfants d'oligarques de sa génération, le fils du général Liu, né en 1987, a grandi aux États-Unis, pays pour lequel il a renoncé à sa nationalité chinoise afin d'en obtenir le passeport. Après quoi, quelques années plus tard, il a renoncé à sa nationalité états-unienne, lui préférant celle de Saint-Christophe-et-Niévès. Un paradis fiscal. Le micro-État de 251 km^2, composé de deux îles des Caraïbes, est plus connu des professionnels de l'évasion fiscale sous son nom anglais : Saint Kitts and Nevis. L'État s'est spécialisé dans la vente de ses passeports aux élites transnationales de la planète. Le document permet d'entrer sans visa dans plus de cent pays et territoires, parmi lesquels Hong Kong, le Liechtenstein, l'Irlande, la Suisse et les États membres de Schengen dans l'Union européenne. Pour acquérir cette nationalité, il convient de débourser 250 000 dollars[1], sans qu'il ne soit nécessaire de se rendre sur place. « En fait, il suffit de payer les services d'un conseiller juridique. Trois mois après, tu reçois ton passeport. Et fiscalement, c'est vraiment très intéressant », m'a expliqué Quinton Liu.

II

Après son départ de Chalkis en 2011, le général Liu se consacra à la nouvelle société de Tianjin, Provence Tomato Products. Avec son fils, il commença par faire installer sur le site des lignes de reconditionnement dernier cri, permettant de retransformer le concentré contenu dans les gros barils bleus du Xinjiang en double concentré commercialisable, conditionné en petites boîtes. La conserverie « Provence » relança des marques de concentré bien implantées sur les marchés africains, marques qui avaient été créées du temps des années fastes de Chalkis par le général Liu et que son clan contrôle *via* des sociétés domiciliées à Hong Kong. Pendant trois années, de 2014 à 2016, Provence Tomato Products produisit à Tianjin, sous ses propres marques et pour des marques de distributeur, ainsi que pour de grandes firmes de l'agrobusiness concurrentes – dont la marque numéro un du concentré en Afrique, « Gino »,

---

1. Atossa Araxia Abrahamian, *Citoyennetés à vendre. Enquête sur le marché mondial des passeports*, Montréal, Lux Éditeur, 2016.

détenue par Watanmal. Pendant ce temps, en Afrique de l'Ouest, Provence Tomato Products, forte d'une équipe de commerciaux, dont certains francophones, exportait ses marchandises au Bénin, au Congo, en Côte d'Ivoire, au Mali, au Ghana, au Kenya, au Niger, au Nigeria et au Togo.

III

En misant exclusivement sur les prix, en pratiquant l'adjonction d'additifs dans leur concentré de tomates, en ne cessant de couper leur produit selon des dosages de plus en plus élevés, les conserveries chinoises se sont engagées dans un redoutable cercle vicieux, qui a provoqué un effet économique inattendu : il est très vite devenu financièrement peu intéressant pour les conserveries de Tianjin de retransformer et couper le triple concentré en Chine, puis de l'acheminer et le distribuer en Afrique. La guerre du concentré chinois destiné à l'Afrique est entrée dans une nouvelle phase. Il est devenu clair que la « compétitivité » imposait une nouvelle donne : installer des conserveries en Afrique, dans les zones portuaires, et y couper et conditionner le produit. Au plus près du marché destinataire. Inutile de s'embêter à acquitter des droits de douane sur des boîtes de conserve qui ne contiennent pas ce qu'elles affirment contenir, le gain est d'autant plus grand que les matières premières coûtent moins cher à importer que les produits finis. C'est pourquoi l'usine de Tianjin a fermé, et les Liu sont désormais au Ghana.

« Si j'étais resté chez Chalkis, m'explique Liu Yi, assis dans un sofa de son salon ghanéen, décider d'un développement en Afrique aurait été difficile. Mes choix n'auraient pas été appliqués aussi vite que je l'aurais souhaité, et je n'aurais pas eu la liberté d'action que j'ai maintenant. En Afrique, le marché change très vite. S'adapter aux changements nécessite des décisions rapides. Les réussites brillantes que j'ai connues avec Chalkis sont derrière moi. Aujourd'hui, j'ai envie de nouveaux défis. La population du Ghana n'est que de 28 millions de personnes, mais la consommation de concentré *per capita* y est dix fois supérieure à celle des Chinois. Quand la Chine ne cultivait pas encore de tomates, j'ai voulu développer cette industrie, et c'est ce que j'ai fait. Mais désormais, ce dont j'ai envie, c'est que ces tomates entrent dans des milliers de foyers du monde entier. Mon objectif, en Afrique, c'est que le concentré du Xinjiang soit retravaillé, mis en boîte et consommé localement. Mes affaires, ici, en Afrique, s'inscrivent dans le mouvement de développement chinois lancé récemment par le président Xi Jinping, dont participe le grand projet "Nouvelle Route de la soie". Si je devais résumer cette "nouvelle Route de la soie" dans l'industrie de la tomate, je dirais que le Xinjiang en est le début ; le Ghana, l'aboutissement. »

IV

Zone portuaire de Tema, Ghana

Un bâtiment industriel délabré, au bord d'une route de la zone portuaire de Tema, l'un des deux ports en eaux profondes du Ghana, à vingt-cinq kilomètres à l'est d'Accra. Dans la région, Watanmal vient d'ouvrir une conserverie, où elle produit, à partir de la matière première des barils de concentré chinois et d'additifs, ses marques Gino et Pomo. Je m'apprête à entrer dans l'une des conserveries qui la concurrence, celle où le clan Liu fait désormais produire ses boîtes. Derrière la clôture, j'aperçois des hommes qui chargent des palettes de cartons rouges dans des camions. Un panneau rouillé indique :

« GN FOODS LTD.
A FREE ZONE TOMATO PASTE
PROCESSING FACTORY »

Quinton Liu, vingt-neuf ans, s'engouffre dans le bâtiment administratif. Je le suis et fais la connaissance de la directrice du site. Elle a travaillé à Londres pour d'importantes multinationales et m'accorde un entretien. Elle me vante la qualité de la production de l'usine.

L'usine n'est pas la propriété des Liu, mais ils en sont les clients, ils ont confié à l'usine la production de leurs marques Tam Tam et La Vonce. Suite à un accord avec la GN Foods, les Liu ont délocalisé ici l'une de leurs lignes de production de Tianjin. La tension entre Quinton Liu et les cadres ghanéens de l'usine est palpable : ces derniers, très nerveux, ne se réjouissent guère de la visite d'un journaliste. Ils font tout pour m'empêcher de pénétrer dans l'atelier.

Après de longs pourparlers entre Quinton Liu et la GN Foods, les cadres ghanéens finissent par céder : il me sera permis de visiter l'usine, mais interdit de m'approcher du début de la ligne de production. Rien de très original, en somme… Des blouses blanches et des charlottes nous sont remises dans le petit bureau d'un contremaître. Au mur, alors que nous revêtons nos équipements, j'aperçois un planisphère. « Je ne sais pas où se trouve Saint-Christophe-et-Niévès », dis-je dans un sourire à Quinton Liu, qui se met à chercher le micro-État dont il est le ressortissant, approchant son index des Caraïbes. Sa recherche est infructueuse. « Je ne le sais pas moi-même !, s'amuse-t-il dans un éclat de rire. Je n'y ai jamais mis les pieds. »

En arpentant l'atelier où défilent les boîtes de conserve, je comprends que les Liu ont délocalisé à la hâte une partie de leur usine de Tianjin, ici, à Tema. L'installation est à peine crédible : s'il n'y avait pas son nom en grandes lettres à l'entrée de l'usine, on pourrait la penser clandestine. Des murs ont été sommairement cassés à la masse afin de laisser passer la ligne de production. Les parpaings sont à vif, les murs sans revêtement.

Je glisse un doigt dans une brique éclatée et récolte de la poussière, à proximité immédiate des machines-outils. Cela fait un mois à peine que les Liu font produire ici.

Durant la visite, je me hisse en haut d'un escalier métallique, en surplomb de l'installation, puis contemple le site depuis une plateforme. La vue est parfaite, notamment sur le début de ligne. J'aperçois ostensiblement un ouvrier ouvrir au cutter de grands sacs de poudre blanche, puis les vider dans un pétrin. Après être redescendu, je demande au directeur de l'usine, un cadre ghanéen, où se situent les stocks de concentré de tomates. « Ils sont loin d'ici, de l'autre côté de la route qui permet d'accéder à l'usine », me réplique-t-il. Sur l'instant, sa réponse me paraît normale. Mais quelques minutes plus tard, je m'interroge : depuis quand, dans une conserverie, stocke-t-on le concentré, la matière à transformer, de l'autre côté d'une route ?

V

Quelques minutes plus tard, lorsque vient l'instant favorable à ce que je m'éclipse, je décide de longer discrètement le mur extérieur de l'atelier pour me rendre en début de ligne. En me représentant mentalement la totalité de l'usine, j'ai déduit qu'il était logique et probable que les stocks se trouvent de ce côté-là, non loin de la « zone interdite » du début de la ligne, là où j'ai vu que l'on coupe le concentré.

En plein dans le mille. Sans avoir traversé la moindre route, je tombe sur les grands fûts bleus du stock, le concentré chinois que retravaille GN Foods. Ce sont des barils Chalkis. Je me dis qu'ils ont suivi la voie habituelle : transformation puis stockage au Xinjiang, transport en train à travers la Chine avant de parcourir les océans dans des conteneurs, et enfin déchargement ici, à Tema, au Ghana. Et maintenant, ils sont entreposés dans l'arrière-cour de cette usine insalubre. Les barils sont recouverts de saletés, stockés à l'air libre. Beaucoup n'ont plus de couvercle et sont attaqués par la corrosion. Leurs poches argentées brillent à la lumière. Leur piètre état m'intrigue. Il me vient un doute. Je m'approche, tapote une poche aseptique. Elle est pleine. Allez, en avant. Je plonge ma main dans l'un d'entre eux, au hasard, pour en ressortir une poignée de concentré. Je malaxe la matière première, le souffle court, les doigts souillés. Je savais que cela existait, les douaniers italiens me l'avaient décrite. Mais comment peut-on faire manger à des êtres humains une chose aussi répugnante ? La pâte n'est pas rouge, elle est noire. De l'encre noire.

VI

Ni vu, ni connu, je suis de retour dans l'usine. Pour le reste de la visite, lorsque j'ai l'opportunité de me trouver seul, près d'un ou plusieurs ouvriers, je m'efforce de recueillir auprès d'eux des informations sommaires au sujet de leurs conditions de travail. La plupart m'expliquent que leur travail sur le site est extrêmement pénible. Ils m'affirment ne pas être déclarés et toucher l'équivalent de 100 euros par mois, pour un travail harassant d'environ dix heures par jour, six jours sur sept. Au Ghana, la main-d'œuvre est trois à quatre fois moins payée qu'en Chine. Soudain, le téléphone de Quinton Liu sonne. Le directeur ghanéen lui indique qu'il ne doit pas téléphoner dans l'usine. Un orage traverse le visage du jeune Asiatique, qui s'éloigne le temps de prendre son appel. Lorsqu'il est de retour, Quinton Liu est furieux. Il laisse éclater sa colère et hurle en direction du responsable ghanéen : « C'est quoi ton problème ! ? Je ne peux pas téléphoner dans l'usine ? Mais tu te prends pour qui ? Tu sais qui je suis ? Tu veux que je fasse renvoyer les machines en Chine ? Il suffit que je donne un ordre et ces machines retournent en Chine, c'est ça que tu veux ? Si c'est ça que tu veux, dis-le ! »

Le cadre ghanéen semble découvrir la Chinafrique. Il baisse la tête et se soumet :

— *It's OK, sir. I'm sorry*.

En bout de ligne, les ouvriers ghanéens attrapent les cartons remplis de boîtes de conserve, les scotchent, chargent les palettes de cartons La Vonce sous l'œil vigilant de contremaîtres chinois qui portent des tee-shirts de l'ancienne usine de Tianjin : on y lit « Provence ». Quinton Liu ne décolère pas. Cette fois, c'est au tour d'un Chinois de recevoir sa foudre : « Les Africains en ont trop mis ? Tu peux leur apprendre comment le faire, mais tu ne peux pas le faire à leur place ! Tu comprends ? La seule chose que nous devons faire nous-mêmes, ce sont ces foutus ingrédients, ça, nous devons le faire nous-mêmes. Pour tout le reste, il ne faut absolument pas travailler à leur place ! »

Lors de ma venue au Ghana, en novembre 2016, les Liu faisaient produire mensuellement l'équivalent de 70 conteneurs de boîtes de concentré par le GN Foods. « Notre objectif, que nous atteindrons au cours de l'année 2017, est de produire 200 conteneurs par mois, me précise Quinton Liu. On sera alors très proche de ce que nous faisions dans l'usine Provence de Tianjin. Le marché ghanéen représente annuellement 7 000 conteneurs. Avec 200 conteneurs par mois, nous pouvons l'approvisionner à hauteur de 2 400 conteneurs par an, soit un tiers du marché. »

Les cartons rouges s'entassent maintenant à l'extérieur de l'atelier. Des ouvriers chargent les camions de cartons. Ils seront déchargés ce soir chez un grossiste. Et puis, dans quelques semaines, sur un marché, contre quelques billets froissés, des mains se tendront en direction de ces petites boîtes rouges. « En ajoutant les pays frontaliers, notre objectif est d'atteindre les 100 millions de dollars de chiffre d'affaires annuel », m'explique Quinton Liu.

VII

Kumasi, région Ashanti, Ghana

Parmi la cohue, les coups de klaxons et les effluves des moteurs bricolés, des nuées de triporteurs, de pick-up ou de camionnettes vont et viennent. Dans la chaleur et la poussière, en équilibre sur la tête des femmes, sur des chariots hors d'âge que poussent des hommes, les mouvements de bidons et de cartons composent un spectacle chaotique : celui d'un long défilé ininterrompu de marchandises. Pour remplir un camion de sacs de riz, des hommes forment une chaîne, rigoureuse et fluide. Le travail est achevé en un temps record. Quelques minutes à peine suffisent pour négocier un approvisionnement en huile végétale. Les conducteurs de Motor King paient, puis chargent des dizaines de cartons de boîtes de concentré chinois afin de les acheminer au plus vite. Destinations : d'autres marchés du Ghana, du Togo ou du Burkina Faso. Derrière ses allures de souk archaïque, où les visages de quelques nababs commandent une armée de bras, et malgré son désordre envoûtant, le marché de Kumasi, le plus grand marché de l'Afrique de l'Ouest, offre une excellente perspective de la nouvelle géopolitique de la tomate d'industrie.

Au Ghana, porte d'entrée du concentré chinois en Afrique, Kumasi est devenu le grand carrefour des denrées agricoles. La gigantesque place fourmillant d'activités est un nœud économique entre les marchandises importées et leur diffusion vers les marchés villageois. Au cœur de l'empire de l'or rouge, Kumasi est l'une de ces villes où s'écrit désormais son histoire.

« L'huile, le riz et le concentré de tomates représentent les plus gros volumes de vente à Kumasi », me dit Quinton Liu. Nous nous engouffrons dans le dédale de ruelles du marché, avec sa petite équipe : un commercial ghanéen parlant le twi, la langue du peuple ashanti du Ghana, et deux autres Chinois, tous deux plus âgés que Quinton mais sous ses ordres.

Au-dessus de nous circulent des biens en équilibre sur les têtes des femmes qui arpentent le marché. Les marchandises ne cessent de défiler en hauteur et de m'hypnotiser, on les croirait acheminées par un grand convoyeur aérien. La plupart des grossistes se trouvent sur une grande artère encombrée de véhicules, à la différence de la plupart des commerçants dont les comptoirs ou magasins sont nichés dans des petites bâtisses de plain-pied ou à l'étage d'immeubles extrêmement délabrés. Ces ruines offrent une vue imprenable sur l'océan de plaques de tôles que forme le marché couvert. Dans les cages d'escalier errent des enfants désœuvrés. Dans les coursives ouvertes, au-dessus de la clameur qui monte du marché, des hommes en haillons sont échoués à l'ombre, sur des plaques de carton.

« Sur ce marché, on trouve une cinquantaine de marques de concentré de tomates, et 90 %

d'entre elles sont produites par des entreprises chinoises. Les conserveries chinoises produisent autant pour les marques de distributeur que pour leurs propres marques », me précise Quiton Liu. Sur son avant-bras gauche, j'aperçois un grand tatouage, un navire à l'allure offensive : un galion armé pour la guerre économique. « C'est devenu vital pour la Chine d'exporter son concentré en Afrique. Le Xinjiang compte tellement d'usines qu'il lui faut des débouchés. L'Afrique en est un, extrêmement prometteur. Notre *business* ici est très différent de ce que nous avons fait à Tianjin, mon père et moi, avec l'usine Provence. Ici, je dois être au plus près du marché, observer minutieusement ce qui s'y passe et comprendre les stratégies de mes concurrents. »

Durant cinq heures, nous sillonnons ensemble le marché, questionnant, un par un, les grossistes de Kumasi spécialisés dans les boîtes de concentré de tomates d'importation. La feuille de route a été préparée à la terrasse du Royal Park Hotel, un hôtel chinois de Kumasi, par l'équipe de Quinton Liu qui y a ses habitudes. L'entrepreneur veut tout savoir des grossistes : les prix pratiqués, les propositions des concurrents, leur débit, l'état des stocks, les retours des clients. Je comprends que les Liu travaillent avec de gros distributeurs ghanéens qui fournissent d'autres grossistes, et qu'il s'agit de vérifier leurs déclarations, de contrôler les prix.

Un vendeur en gros m'autorise à visiter son entrepôt. Je m'avance dans un dédale de cartons de concentré de tomates. Les emballages s'élèvent du sol au plafond, sur une hauteur de deux étages. Cette manière d'entreposer la marchandise est dangereuse car les conserves ne doivent pas être écrasées par des centaines d'autres, elles risquent d'être endommagées et de devenir toxiques : derrière l'apparence de leur robustesse, les boîtes en fer-blanc sont des produits à manipuler avec précaution. Mais, de Tianjin au Ghana, j'ai fini par comprendre que personne, dans ce business, ne semble beaucoup se soucier de cette règle de base de l'industrie agroalimentaire.

Le spectacle de cette caverne de concentré est impressionnant. Il en est de même chez beaucoup d'autres grossistes. J'en ai désormais le cœur net : pour ce qui est du concentré de tomates, le Ghana est définitivement territoire chinois.

Au Ghana, les cinq marques les plus importantes du marché sont désormais Pomo (distribuée par Watanmal), Gino (Watanmal), Tasty Tom (Olam), La Vonce et Tam Tam. Toutes contiennent du concentré chinois et des additifs, ce qui, en soi, n'est pas illégal quand l'information est donnée au consommateur. Tasty Tom a changé la dénomination de son produit : il s'agit désormais de *mix tomato*, ou mixture de tomates. La marque a trouvé un argument commercial pour son concentré coupé, clamé par des affiches en novembre 2016 : « Enriched Tomato Mix. Vitamins Enriched. Added Fibre. For Tasty Meals, Good For You ». Les fibres seraient bonnes pour la santé. Pomo précise la composition de son produit, et a changé de dénomination. La Vonce et Tam Tam, les marques du clan Liu, ne cessent de gagner des parts de marché grâce à une politique commerciale et publicitaire très agressive. « En Chine, pour espérer vendre 400 millions de dollars de boîtes de conserve de tomates en supermarché d'un produit inconnu du consommateur, il faut en dépenser 70 millions en publicité », me dit Quinton Liu avant de se mettre à rire et de me réciter les montants, de quelques dizaines de milliers de dollars à peine à chaque campagne, que lui ont coûtées ses récents achats de publicité au Ghana. Réclames radiophoniques ou annonces sur les grands panneaux publicitaires du pays, il est désormais impossible d'échapper aux slogans vantant le concentré de tomates. Les grandes affiches qui promeuvent La Vonce, marque très récente ne contenant que du produit chinois coupé, affirment sans scrupule : « La Qualité de la Tradition ». Aux couleurs de l'Italie, bien sûr.

Sur le modèle de ce que font un grand nombre de marques en Afrique, à l'image des confiseries Mentos qui fournissent à leurs revendeurs des tabliers aux couleurs de la marque, les Liu ont fait distribuer aux revendeurs de concentré de tomates des tricots frappés du logo de leur marque. Gino, la marque numéro une en Afrique, s'est, quant à elle, offert, au cours des dix dernières années, un très grand nombre de fresques murales dans toute l'Afrique de l'Ouest, presque aussi invasives que celles vantant les sodas états-uniens.

Pendant notre progression sur le marché, Quinton Liu achète méthodiquement toutes les boîtes de concentré de ses concurrents. L'un de ses hommes porte les sacs plastiques. « Toutes ces boîtes seront confiées dès ce soir à mon chimiste », m'explique-t-il.

VIII

Accra, Ghana

La journée se termine, je retrouve une dernière fois les Liu dans leur quartier général d'Accra. Tandis que son fils Quinton était à Kumasi, le général Liu a passé une partie de la journée au ministère du Commerce du Ghana. Le fils présente à son père les boîtes de concentré de la concurrence, achetées sur le grand marché, et pose les échantillons sur une grande table. C'est alors qu'un homme nous rejoint. Timide, il porte des lunettes aux verres épais. Après lui avoir passé son bras droit autour du cou, Quinton Liu me le présente : « Tu vois ce gars-là ? Ce mec, il vaut des millions ! C'est notre chimiste, c'est le meilleur de ce business. Il a travaillé à Tianjin pour nous, dans l'usine Provence, et maintenant il fait des miracles ici. »

Donnez-lui de la *black ink*, de l'encre noire, la pâte de tomates la moins chère du marché mondial, et indiquez-lui le pourcentage de matière première que vous souhaitez mettre dans une boîte de conserve. C'est promis, le chimiste des Liu trouvera la recette idoine, les taux optimaux d'additifs qui rendront le produit présentable. L'affaire n'est pas aisée : lorsque l'on rajoute beaucoup d'eau à du triple concentré chinois de couleur noir, il faut aussi ajouter de l'amidon, ou de la fibre de soja. Si l'on ajoute de l'amidon, le mélange s'éclaircit trop. Si le mélange s'éclaircit trop, il faut ajouter des colorants. Si l'on ajoute des colorants, la pâte peut perdre en viscosité, ou ne plus ressembler à du concentré de tomates. Seul un spécialiste est à même de trouver la juste proportion de chaque ingrédient. Sa toute dernière recette ? 31 % de concentré, pour 69 % d'additifs.

« Tiens, voici les boîtes d'aujourd'hui », lance Quinton Liu en lui remettant le concentré de la concurrence qu'il a acheté pour lui. L'homme disparaît aussitôt. Il rejoint sans tarder son laboratoire. Le chimiste a pour mission de révéler aux Liu le pourcentage réel de concentré de tomates que contient chaque boîte. Le clan veut savoir comment la concurrence s'y prend pour couper le produit.

Le général Liu reprend la parole et dit en direction de son fils : « Inutile de parler de prix maintenant. Attendons les résultats, et demain, nous discuterons. Une fois que j'aurai le résultat de ces analyses, je connaîtrai leurs coûts, et nous affinerons notre stratégie. »

Liu Yi me serre la main et me souhaite un bon retour en France, puis il se retire. Son fils me raccompagne jusqu'au perron de la villa, où le berger allemand se redresse sur ses pattes pour m'escorter. Le rendez-vous du général Liu au ministère du Commerce s'est très bien passé, me fait savoir Quinton Liu. « Ici, les terrains ne sont vraiment pas chers. D'ici quelques mois, nous aurons fait construire notre propre usine au Ghana, et nous aurons déménagé la totalité de nos lignes de Tianjin. On pense même ouvrir ici un casino », ajoute-t-il. Je jette un dernier regard sur les hautes clôtures électrifiées qui ceignent la demeure. Elles sont à peine éclairées d'une blafarde lumière artificielle. La nuit est chaude, sans étoile. « Un casino ? » Quinton Liu tapote la tête de son gros chien. « Oui, réplique-t-il. Une salle de jeux. »

Rome-Toulon,
juin 2014-avril 2017.

Table des matières

12287

Composition
NORD COMPO

Achevé d'imprimer en Espagne
par CPI
le 10 septembre 2018.

Dépôt légal : octobre 2018.
EAN 9782290155912
OTP L21EPNN002338N001

ÉDITIONS J'AI LU
87, quai Panhard-et-Levassor, 75013 Paris

Diffusion France et étranger : Flammarion